Et si j'apprenais
la perspective

Santiago Arcas
Isabel González
José Fernando Arcas

ÉDITIONS
PLACE DES VICTOIRES

© Arco Editorial, 2001

© Éditions Mengès et Place des Victoires, 2001

pour l'édition en langue française

6, rue du Mail – 75002 Paris

Titre original : *Perspectiva*

Texte original de Santiago Arcas, Isabel González
et José Fernando Arcas

Adaptation française : Jean Prigent

Photocomposition : Nord Compo – Villeneuve d'Ascq

ISBN 2-84459-028-4

Dépôt légal : 2ᵉ trimestre 2001

Pratique de la perspective 42

Exercices pas à pas 144

I. Introduction

Dans l'art japonais, l'espace est représenté par un type de perspective qui n'imite pas la forme sous laquelle nous percevons la réalité. Mais un système l'exprimant de façon très claire et avec une grande efficacité narrative a été développé.

Dans son dessein d'emprisonner la réalité sur le papier ou sur la toile, l'artiste doit affronter l'un des problèmes les plus communs en ce domaine : la représentation de la profondeur. Entre le monde réel, celui des objets qui nous entourent, et celui de ces mêmes objets représentés sur un tableau existe une différence essentielle : tandis que le premier s'étend en trois dimensions, hauteur, largeur et profondeur, le second ne s'étend qu'en hauteur et largeur ; il s'agit d'une réalité bidimensionnelle et non plus tridimensionnelle. Par conséquent, le travail de l'artiste qui représente sur son tableau une scène qu'il a sous les yeux est un authentique travail de traduction ; il s'agit de transposer une réalité existante en une autre totalement différente, en faisant appel à un certain nombre de règles. Ce sont ces règles que nous allons étudier dans cet ouvrage, dont l'ambition est d'être un guide utile pour les peintres qui voudront exercer ou améliorer leur savoir-faire en matière de perspective dans le dessin et dans la peinture.

Nous devons avoir une claire conscience que, même si une scène quelconque en perspective nous paraît d'une réalité et d'une évidence totales, ce n'est là en fait qu'une manifestation parmi d'autres de notre bagage culturel. Autrement dit, il n'existe pas de norme absolue dans la représentation de la réalité qui soit totalement fiable, mais plutôt des voies diverses pour l'approche d'une représentation satisfaisante.

4

Le flûtiste de la tombe des Léopards à Tarquinia (470 av. J.-C.). Dans de nombreuses cultures, la représentation de la profondeur n'était pas tenue pour un élément nécessaire dans la création des images. Dans cette peinture, tout ce que la scène requiert pour être signifiante est montré en un langage plus direct.

Il faut rappeler de surcroît que la perspective n'appartient à la tradition picturale que depuis la Renaissance, et seulement dans la culture occidentale. Dans les autres cultures comme dans les périodes antérieures, l'homme avait d'autres manières d'exprimer les trois dimensions sur une surface plane.

L'usage ou non de la perspective n'est pas en soi un facteur déterminant de la qualité plus ou moins grande d'une œuvre ; à cet égard, la pratique artistique du XXe siècle s'est chargée de rogner l'excès d'importance que les siècles antérieurs lui avaient prêté.

Il ne fait néanmoins aucun doute que la perspective est un puissant outil à la disposition du peintre lorsqu'il veut évoquer dans son œuvre une scène qui soit aussi proche que possible de ce que nous percevons dans la réalité. C'est pourquoi il est très recommandable de posséder quelques notions à ce sujet pour s'exprimer avec sûreté dans les domaines du dessin et de la peinture réalistes.

Résumé historique

Le problème de la représentation de la profondeur sur une surface plane a connu diverses solutions au long de l'histoire. Comme nous le verrons dans un rapide survol des différentes façons d'aborder ce sujet, les solutions n'ont pas été déterminées uniquement par le degré plus ou moins grand d'habileté technique dont disposait chaque époque, mais dans une grande mesure par la mentalité même et les traits culturels propres à chacune d'elles.

Le monde classique

La perspective n'a pas toujours existé, et n'a pas toujours eu la forme que nous lui connaissons. La raison en est que l'homme n'a pas toujours éprouvé le besoin de représenter les trois dimensions, et encore moins de le faire en essayant d'imiter la manière qu'a l'œil humain de capter les images.

Les vestiges des fresques de Pompéi témoignent non seulement du style de vie en cet endroit et à cette époque, mais nous apprennent aussi que la peinture de la Rome antique avait un sens avancé de l'espace et de la profondeur.

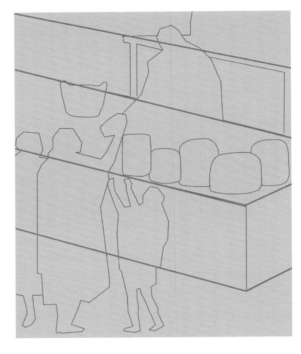

Dans cette peinture, qui représente une boulangerie, les divers éléments sont disposés de manière à suggérer les trois dimensions. Avant que la perspective ne fût systématisée de façon mathématique, sa représentation intuitive offrait des exemples très convaincants.

Déjà, dans la Grèce ancienne, se manifestèrent des idées assez apparentées à celles qui, beaucoup plus tard, donnèrent lieu aux systèmes perspectifs. Euclide développa toute une théorie sur notre manière de voir le monde qui nous entoure, fondée sur l'idée que de l'œil jaillissent des faisceaux de rayons dirigés vers les objets que nous voyons, et disposés en forme de cône invisible ; comme nous le savons aujourd'hui, l'œil n'émet pas de semblables rayons, mais il reçoit au contraire la lumière que les objets reflètent, et qui trouve sa source dans le soleil ou tout autre foyer lumineux. Cependant, toute erronée qu'elle est dans sa confusion entre émetteur et récepteur, la théorie d'Euclide voit juste en disposant les faisceaux de lumière en forme de cône ; c'est cela même qui explique que nous avons un angle de vision limité, et pourquoi les parallèles se rejoignent dans le lointain, et pourquoi également la taille des objets diminue avec la distance. Bien que la peinture grecque ne se soit pas souciée de perspective, la peinture romaine, dans sa droite succession, offre de nombreux exemples d'espaces architectoniques avec un point de fuite et une remarquable approche de la perspective.

Le Moyen Âge

Lorsqu'on sait que la Rome classique avait déjà atteint un mode de représentation relativement proche de celui de la perspective, il peut paraître étrange que l'on ait eu recours au Moyen Âge à des solutions qui se désintéressaient totalement de toute loi optique et de tout principe de figuration des trois dimensions découvertes à l'époque antérieure.

C'est que les circonstances culturelles avaient changé. La représentation naturaliste de la réalité et la recherche de la beauté avaient perdu de leur intérêt. L'espace devient quelque chose de symbolique, d'idéal, et l'œuvre a l'ambition de transmettre son message de la façon la plus directe possible. Le principe naturaliste d'un point de vue unique est rejeté, en sorte que dans une seule et même scène, une seule et même figure parfois, chacune des parties est dessinée depuis le point de vue qui en offre la vision la plus claire.

Pendant ces années qui signifièrent la fin du Moyen Âge et le commencement de la première Renaissance, c'est-à-dire au début du XIIIᵉ siècle, fut réinventée une certaine forme de perspective qui, sans être encore systématisée, comporte divers éléments qui la séparent notablement de l'imagerie médiévale.

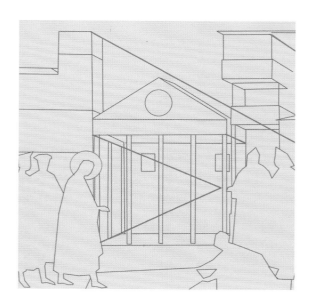

Giotto, Histoires de saint François (1300). La peinture de Giotto révèle un authentique changement par rapport à l'art gothique dominant à l'époque. Les personnages ont du volume et leurs images se superposent de manière naturelle. Bien que l'espace architectural ne s'ordonne pas encore autour d'un point de fuite défini, on est plus proche ici du réalisme que dans l'art médiéval.

Comme on peut le voir sur ce schéma, toutes les lignes de l'architecture respectent une orientation approximative, bien qu'elles n'aient pas de point de fuite unique et que le tracé soit intuitif.

7

La Renaissance

Avec le peintre Giotto, né vers 1266, on considère habituellement que s'achève le Moyen Âge et que commence la Renaissance.

Jamais jusqu'alors, ou de façon très occasionnelle, les personnages n'avaient eu de volume et leurs images ne s'étaient superposées comme on les perçoit dans la réalité. On voit apparaître de surcroît des tentatives de raccourcis, et la conception de la scène où évoluent les personnages s'enrichit par l'application d'un grand nombre de ces principes que la perspective fera bientôt siens.

La recherche intuitive de l'unité de l'espace et les diverses façons de représenter la profondeur commencèrent à prendre forme avec le principe de la perspective centrale qui fut formulé pour la première fois, en Italie, par des artistes et des architectes comme Alberti, Brunelleschi et Piero della Francesca. Ce que l'on visait, c'était une représentation objective, une méthode indépendante de la vue et de la main du dessinateur.

L'architecte florentin Brunelleschi (1377-1446) démontra dans son travail qu'il avait pris conscience de l'importance du point de vue et que, dans le tableau, ce point coïncidait avec celui vers lequel fuient les parallèles.

Ce point se situe sur la ligne de l'horizon. On découvrit en outre que la perspective présuppose que l'observateur regarde à partir d'un point de

Piero della Francesca, La flagellation du Christ. Dans cette œuvre, la perspective parvient à se constituer en protagoniste dont l'intérêt surpasse le thème représenté. Même si les principes techniques de la perspective centrale sont déjà établis, l'image évoque davantage une scène de théâtre qu'une scène réelle. La composition, presque mathématique, est ordonnée de manière frontale et les personnages sont distribués dans des rectangles proportionnés à l'architecture.

L'œuvre comporte un point de fuite clair, situé au centre et vers le bas du tableau, grâce auquel les figures du premier plan paraissent perçues depuis un point de vue abaissé et acquièrent une majesté accrue. Le tableau est partagé en deux : un espace intérieur où prend place la scène de la flagellation, et un espace extérieur.

Léonard de Vinci. La Vierge, l'enfant Jésus et Sainte Anne (1510). Deux des contributions les plus importantes de cet artiste à la peinture sont la perspective aérienne et le sfumatto. Comme on peut le voir, le paysage du fond est beaucoup plus diffus et comporte des couleurs moins saturées que le premier plan. De plus, les contours des personnages sont vaporeux et flous, ce qui augmente l'impression de naturel.

vue unique, c'est-à-dire un œil unique et immobile (alors que la vision humaine s'effectue à travers deux yeux).

Cette aspiration à une reproduction du réel mécaniquement correcte reçut d'Alberti l'essentiel de sa base théorique. Son idée de la pyramide visuelle descendait directement, tout en l'améliorant, de celle qu'Euclide avait formulée des siècles auparavant.

Elle se fonde sur le fait que la relation optique entre l'œil de l'observateur et l'objet observé peut être représentée par un système de lignes droites qui, à partir de chacun des points de la surface frontale de l'objet, aboutit à l'œil. Il en résulte un cône de rayons lumineux qui, s'ils sont interceptés par une plaque de verre perpendiculaire au regard, forment sur cette plaque une image qui est une projection de l'objet. Et si l'on trace sur le verre les contours de cette image, on obtient une réplique exacte de l'objet. Dans ses écrits sur la perspective, Léonard de Vinci (1452-1519) se fonde sur le concept défini par Alberti de voile ou de verre transparent sur la surface duquel se dessinent les objets situés derrière. Par ailleurs, c'est sur ce même concept que reposera le principe de la chambre obscure qui, quelques siècles plus tard, connaîtra son apogée avec l'invention de l'appareil photographique.

Malgré cela, Léonard de Vinci soutenait que l'artiste doit avant tout se fier à sa sensibilité et exercer son regard, sans trop se laisser guider par les théories.

Il reste, sans aucun doute, que l'apport majeur de cet artiste dans le domaine de la perspective est son étude sur les variations de la couleur en fonction de l'éloignement ou de la proximité du spectateur. Sa première observation porte sur l'air qui entoure les objets. Il remarque que l'air n'est pas absolument transparent et que plus la quantité d'air comprise entre les objets et le spectateur est grande (ou plus les objets sont éloignés), plus la couleur se teinte de bleu et plus les contours s'estompent.

On peut considérer que Raphaël est le peintre qui harmonisa le mieux les enseignements de Léonard et de Michel-Ange. Alliant un sens aigu de la composition et de la perspective, son œuvre est la synthèse la plus représentative de la peinture de la haute Renaissance.

Évolution ultérieure

Beaucoup d'autres artistes et esprits curieux ont continué par la suite à s'intéresser à ce sujet et à y apporter leur contribution. L'un d'entre eux est le peintre allemand Albrecht Dürer (1471-1528). Dans certaines de ses gravures, l'artiste montre le mécanisme qu'il met en œuvre pour représenter des scènes en perspective. Le dessinateur regarde au travers d'une mire pour que le point de vue ne subisse aucune variation tout au long du travail, et c'est dans cette posture qu'il trace les contours de son modèle sur une plaque verticale transparente ; par le moyen d'un quadrillage, il transfère ensuite le dessin obtenu sur le support de l'œuvre définitive.

Albrecht Dürer, illustration du traité Underweyssung der Messung *(1525). On y voit l'utilisation du cadre à dessiner.*

Au cours des siècles, et à mesure qu'il s'assimilait et se généralisait, l'usage de la perspective se transforma en une ressource naturelle que les artistes exploitaient comme une méthode logique de représentation.

Hubert Robert, Vue de la grande galerie du Louvre *(1796). La maîtrise de la perspective s'est généralisée au cours des siècles.*

Au sein du monde artistique régnaient des règles académiques si fortes que cette conception de la perspective finit par s'imposer comme la seule correcte.

Vincent van Gogh, La chambre de Vincent à Arles (1889). Bien que l'emploi de la perspective soit maintenu dans cette œuvre, ses effets y sont exagérés afin de répondre à la volonté d'emphase du peintre. L'artiste ne vise plus une représentation naturaliste, mais il utilise la réalité comme prétexte à la manifestation de sa sensibilité, qui s'exprime à grands coups de pinceau. Bien qu'il puisse sembler que la perspective dans cette œuvre ne soit pas si différente des pratiques antérieures, l'intérêt majeur n'est plus de peindre la réalité telle que nous la voyons.

Ce statut de quasi-souveraineté se prolongea pratiquement jusqu'à la fin du XIXe siècle, quand les postimpressionnistes commencèrent à modifier leur vision et leur pratique de l'espace sous l'influence de l'art oriental qui connut à cette époque une grande vogue en Europe. Gauguin peignait un espace écrasé par l'emploi de la couleur ; Van Gogh accentuait les effets de distorsion de l'espace dans ses compositions et Cézanne s'appliqua à inscrire les formes naturelles dans des tracés géométriques. Tous cependant respectaient les bases de la perspective, même si ces artistes ont servi de passerelle aux avant-gardes du XXe siècle, qui, elles, s'en passèrent souvent.

Umberto Boccioni, Les bruits de la rue envahissent la maison (1911). Au XXe siècle, la représentation de l'espace se libère définitivement de la perspective. Chaque artiste se dicte à lui-même ses propres règles en la matière. Dans cette œuvre, l'Italien Boccioni a totalement altéré la perspective des édifices pour suggérer le mouvement et la vitesse propres à la ville moderne.

Concepts généraux de

la perspective

I. Mise en place et structure des objets

 Fig. I

Dans cette composition, les formes du meuble, des livres et des vases ont été synthétisées par le moyen de cylindres, de cubes, de parallélépipèdes, bien que certains objets, comme le vase de droite, exigent un traitement plus complexe ; le vase en question a été interprété comme un tronc de cône.

Quand nous commençons un dessin d'après nature, il arrive que le modèle nous paraisse d'une grande complexité et si enchevêtré dans ses formes que nous éprouvons du découragement et un sentiment d'impuissance. En effet, les éléments naturels aussi bien qu'artificiels présentent une infinie variété d'aspects dans des dispositions désordonnées, qui peuvent laisser l'aspirant artiste dans la confusion, sans qu'il sache même par où commencer.

C'est pourquoi il importe, quel que soit l'objet ou la scène à représenter, d'être toujours conscient que la démarche se fonde sur une exigence plus importante que le fait même de savoir des-

siner : c'est savoir regarder. Et ce dernier point, qui ne consiste pas simplement à voir les choses, commande étroitement l'exécution, qu'il s'agisse de dessin ou de peinture. L'artiste doit ordonner le réel pour le transcrire ensuite sur le papier ou la toile (il en va de même pour la sculpture), et, dans ce travail de mise en ordre, la qualité première est de savoir discerner l'essentiel.

Comme nous le verrons, la plupart des descriptions d'objets en perspective dans nos premières explications feront appel aux formes géométriques élémentaires telles que cubes, cylindres, prismes, parce que c'est à ces formes simples que peuvent se réduire les réalités complexes qu'offre

 Fig.2

Ce réveil, en raison de sa relative complexité formelle, a été interprété comme composé de trois cylindres disposés de façon oblique, qui suffisent à caractériser la figure de base.

le monde ordinaire, comme les édifices, les voitures ou les meubles, et même les personnes.

Parmi les concepts qu'utilise l'artiste, celui de mise en place constitue la base du dessin. Le dessinateur inexpérimenté se laisse souvent obnubiler par les détails, qui retiennent son attention au détriment de la perception de l'ensemble, et le travail, dans son résultat, pèche par ses disproportions et ses incohérences. Pour échapper à cela, il faut d'abord discerner les formes générales et les disposer de façon adéquate, en mettant en place les tracés principaux qui commandent la composition. Une fois qu'on a correctement situé en perspective les formes géométriques de base auxquelles toute scène peut se réduire, on peut

de façon beaucoup plus assurée préciser les détails, et s'approcher ainsi de façon progressive du résultat recherché.

Cette réduction, au niveau de l'esquisse, de tout objet à des formes géométriques simples est une pratique efficace qui apprend aussi à considérer la réalité de manière plus abstraite, et à mieux maîtriser de la sorte le dessin de perspective. Il y a des objets simples, comme par exemple une valise, qui peuvent se réduire à une forme géométrique unique, dans le cas présent un parallélépipède. Il y a néanmoins d'autres objets, comme le réveil de l'illustration, qui, en raison de leur complexité, exigent une combinaison de plusieurs formes géométriques (ici trois cylindres). Il va de soi, par ailleurs, qu'un objet complexe peut aussi se réduire à une forme géométrique unique : c'est ainsi que le réveil pourrait aussi s'interpréter comme un simple parallélépipède à l'intérieur duquel il s'inscrirait totalement ; cette simplification, cependant, n'aiderait guère à le dessiner en bonne perspective.

Le degré de simplification synthétique qu'on peut appliquer à chaque objet dépend de sa dimension et de son importance relative au sein du tableau : s'il ne représente qu'une portion réduite dans une vaste composition, on peut l'interpréter de façon simplificatrice. De fait, il est souvent efficace de s'en tenir à une esquisse de base sommaire, qui évite que l'on perde le sens global de l'image, et qui seule permet une mise en place initiale correcte et proportionnée des diverses composantes.

Nature morte

Quelques livres assemblés peuvent fournir un bon prétexte pour un premier travail de perspective. La disposition du modèle est essentielle : c'est elle qui définit la composition du tableau. Les livres en outre, en raison de la régularité de leur forme, permettent de s'exercer à la synthèse géométrique la plus simple qui soit.

Commencez par un croquis au crayon, en prêtant attention à l'orientation des lignes de fuite.

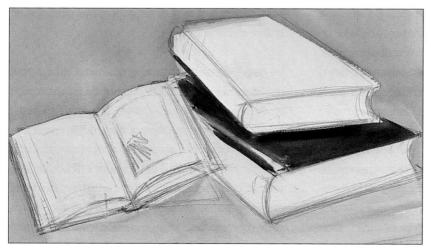

Appliquez une teinte terre de Sienne très transparente. Elle doit couvrir le fond de manière homogène et rester très légère.

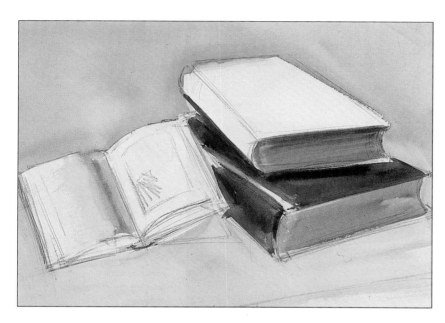

Peignez le dos du livre en marron foncé, ainsi que l'ombre portée sur les pages.

Peignez l'ombre produite par le livre ouvert avec un bleu pur légèrement délayé ; cette ombre définit la position du livre dans l'espace.

Bien que les deux livres soient de couleur similaire, il importe de les distinguer par des nuances différentes.

L'espace obscur qui demeure à l'angle inférieur droit suggère la forme de la table.

Comme on le voit, l'ombre est aussi plus diluée à l'arrière-plan.

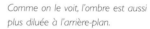

Avec quelques touches de couleur sur la page gauche du livre ouvert, ce travail de synthèse des formes peut être tenu pour achevé.

2. Concepts de base et terminologie

 Fig. I

Bien que nous sachions que les rails sont parallèles, ils paraissent, quand nous les regardons, se confondre à l'horizon.

La perspective permet de créer une illusion de profondeur dans un espace bidimensionnel. Le type de perspective que nous utilisons dans un dessin sur papier – qui est le sujet de la présente étude – s'appelle la perspective linéaire, et elle se fonde sur la perspective naturelle.

Quand nous observons la réalité qui nous entoure, nous remarquons clairement que les objets paraissent de plus en plus petits à mesure qu'ils s'éloignent de nous. Nous voyons aussi que les lignes parallèles convergent dans le lointain jusqu'à se réunir sur la ligne d'horizon, comme le font des rails de chemin de fer. La raison principale en est que l'angle que l'œil doit embrasser pour appréhender la totalité de l'objet se restreint à mesure que ce dernier s'éloigne ; cet angle tend vers zéro quand les deux rails se confondent sur la ligne d'horizon. La méthode de la perspective s'applique à découvrir les normes qui régissent ces effets.

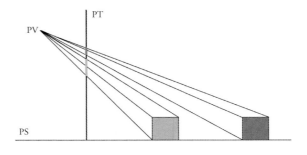

 Fig.2

Le cube rouge paraît plus petit que le cube orange : à cause de sa position, l'angle nécessaire à l'œil pour l'embrasser est plus petit. C'est pour cette raison que la taille apparente des objets diminue à mesure qu'ils s'éloignent.

Cône de vision

Il correspond au champ de vision que le regard embrasse sans que l'observateur se déplace. Il s'agit d'un cône dont le sommet se situe dans l'œil de l'observateur et qui s'élargit vers l'avant en embrassant l'objet ou la scène qu'il regarde. Ce cône est formé par les faisceaux de lumière qui vont de l'objet à l'œil en transmettant l'image.

Plan du sol (PS)

C'est le plan sur lequel trouvent appui l'observateur et l'objet ; on l'appelle aussi plan de terre.

Plan du tableau (PT)

C'est un plan vertical imaginaire sur lequel prendra place le dessin ; il se confond avec le papier ou la toile. On peut se le représenter comme la vitre d'une fenêtre au travers de laquelle on verrait la scène. Il est situé perpendiculairement à la ligne de mire.

Ligne du sol

C'est la ligne qui naît à l'intersection du plan du sol et du plan du tableau. Dans la pratique, elle sert à certains relevés de mesures.

Ligne d'horizon (LH)

C'est une ligne imaginaire horizontale qui se situe à la hauteur des yeux de l'observateur. On l'appelle niveau optique quand on la représente dans le plan du tableau. La hauteur de la ligne d'horizon varie selon que s'élève ou que s'abaisse le point de vue ; par exemple, si nous construisons une perspective depuis le haut d'une montagne, la ligne d'horizon sera située très en hauteur dans le dessin.

Ligne de mire

C'est la ligne qui relie l'œil au plan du tableau, perpendiculairement à ce plan. On l'appelle aussi ligne de distance.

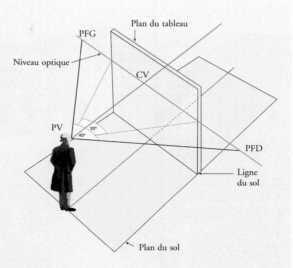

 Fig.3

Ce schéma localise dans l'espace les différents éléments que nous avons définis. Depuis l'œil du spectateur (PV) part une ligne qui atteint perpendiculairement le plan du tableau, en un point que nous appellerons centre visuel (CV). Les deux points de fuite dessinent un angle de 90° depuis le point de vue jusqu'au niveau optique dans le plan du tableau. Les deux angles de 30° marquent l'amplitude avec laquelle nous pouvons voir une image avec une netteté parfaite ; ce qui est situé en dehors de ce faisceau devient flou.

Point de fuite (PF)

Selon le type de perspective, il peut y avoir un, deux ou trois points de fuite. Ce sont les points vers lesquels convergent les parallèles qui s'éloignent de nous pour rejoindre la ligne d'horizon, à condition que ces parallèles soient aussi parallèles au plan de terre, c'est-à-dire qu'elles ne soient pas inclinées. C'est la convergence des parallèles vers le point de fuite qui crée l'impression de profondeur.

Point de vue (PV)

C'est le lieu où se trouve l'œil du spectateur. La perspective présuppose que l'on voit la scène d'un seul œil, en sorte que le point de vue soit un point unique.

3. Perspective frontale

En fonction du nombre de points de fuite utilisés dans le tracé d'une perspective, on obtient trois types de représentation de l'espace en profondeur, bien distincts les uns des autres.

Le premier type de perspective que nous allons considérer est la perspective frontale. Il s'agit du même concept que celui de perspective centrale que nous avons évoqué dans le résumé historique, au sujet des progrès de la perspective à la Renaissance.

La perspective frontale s'utilise quand on veut représenter un ou plusieurs objets dont la face antérieure est parallèle au plan du tableau, et les autres faces perpendiculaires à ce même plan. Ce type de perspective est caractérisé par un point de fuite unique. Ce point se situe à l'intersection de la ligne d'horizon et du rayon visuel central (ce rayon, parmi tous ceux qui relient l'œil de l'observateur à l'objet, est celui qui recoupe le plan du tableau de façon parfaitement perpendiculaire). Il en résulte que, dans l'illustration, point de fuite et point de vue se superposent.

C'est vers ce point de fuite que convergent toutes les lignes perpendiculaires au plan du tableau, en sorte qu'il est le point de référence de la majorité des tracés dans ce genre de perspective.

Fig. I

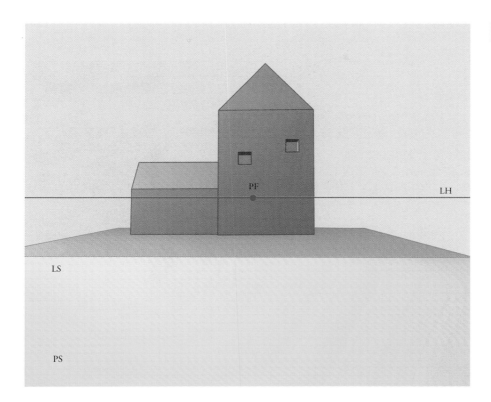

Ce schéma donne une idée de ce que le spectateur perçoit depuis le point de vue. En raison de la disposition de l'objet dans la perspective frontale, on voit l'un de ses côtés pleinement de face. La ligne d'horizon (LH) marque la hauteur de l'œil du spectateur ; il n'y a qu'un point de fuite, qui se situe sur cette ligne. C'est vers ce point unique que fuient toutes les lignes perpendiculaires au plan du tableau (PT).

 Fig.2

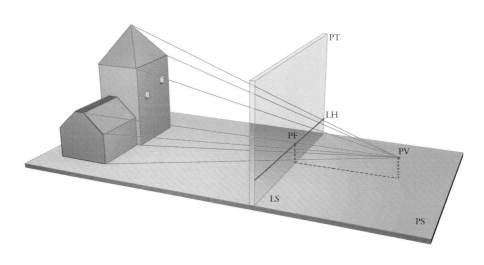

Ce schéma montre la disposition des éléments dans la perspective frontale. De tous les points de la figure observée part un rayon qui se dirige vers l'œil du spectateur (PV). Entre l'observateur et l'objet se dresse un plan vertical (PT) que recoupent les rayons. Comme on peut le voir, la face antérieure de l'objet est parallèle à ce même plan.

pas à pas _____

Arbres

La perspective frontale, ou à un seul point de fuite, est clairement illustrée par un cas comme celui-ci, qui présente plusieurs éléments de même dimension alignés dans le sens de la profondeur. La diminution progressive de la taille des arbres crée l'effet de perspective avec évidence et simplicité.

Tracez en premier lieu une esquisse au fusain. Dans cette première approche, on se contente de mettre en place les formes principales.

Appliquez les premières couleurs sur les arbres et sur le fond. La teinte du ciel est claire et peu saturée, pour suggérer l'éloignement. Les arbres situés au premier plan sont peints dans une couleur plus foncée afin de souligner l'effet de profondeur. Dans la partie basse, l'herbe est aussi traitée de façon plus détaillée.

 3

Les ombres projetées sur la chaussée permettent de bien situer les arbres dans l'espace. L'ombre sur le sol marque la terre du premier plan.

 4

On notera que le point de fuite dans cette perspective se trouve à droite, en dehors du cadre.

pas à pas

Maison de campagne

La représentation d'une maison de campagne offre un autre exemple de perspective frontale ; on note que le mur de façade est, à nouveau, parallèle à la ligne d'horizon.

Commencez par réaliser une esquisse au crayon. Comme on peut le voir, la disposition des pannes de la toiture caractérise clairement une perspective frontale : elles sont toutes orientées vers un point de fuite situé sur la ligne d'horizon. Une fois dessinée la perspective de la charpente, vous n'avez plus besoin de lignes qui se prolongent jusqu'au point de fuite ; il est préférable de les effacer avant de commencer à peindre.

Toute la partie de la maison située au-dessous du toit est marquée par une ombre soutenue ; peignez-la en marron pour créer un effet de contraste.

Appliquez divers tons de vert sur la végétation, les arbres du fond et l'herbe du premier plan. Le bleu du ciel sera d'une intensité réduite.

Rehaussez les contrastes dans les ombres avec une touche de violet foncé. Les ombres projetées sur le mur indiquent clairement que le toit déborde vers l'avant.

4. Perspective oblique

Dans la pratique, il est rare que les objets que nous avons à dessiner en perspective soient structurés en lignes parallèles et perpendiculaires, et présentent une façade totalement parallèle au plan du tableau. Le plus souvent, au contraire, les éléments de la scène à représenter forment un angle déterminé par rapport à ce plan, qui rend inadéquates les règles de la perspective frontale ; il convient alors de recourir à la perspective oblique.

Cette perspective est dite oblique parce que les objets s'y présentent obliquement par rapport au plan du tableau, de telle sorte que, depuis le point de vue de l'observateur, on ne peut percevoir aucun de leurs côtés entièrement de face, mais seulement deux de leurs côtés qui forment un angle déterminé par rapport au plan du tableau. Il en résulte que l'on peut distinguer deux groupes de lignes qui sont dans chaque groupe parallèles entre elles, mais qui, du point de vue de l'observateur, sont perçues comme fuyant, dans chaque groupe, vers un point de fuite différent. Autrement dit, les lignes qui dans le modèle sont parallèles entre elles fuient toutes vers le même point. S'il s'agit d'un édifice dont nous voyons deux côtés (c'est-à-dire qu'une de ses arêtes se présente face à nous), toutes les lignes horizontales de chacun de ses côtés vont se réunir en un point donné, en sorte que l'on a, au total, deux points de fuite. De plus, il importe de savoir que ces deux points de fuite sont situés à la même hauteur, précisément sur la ligne d'horizon, l'un sur la droite et l'autre sur la gauche.

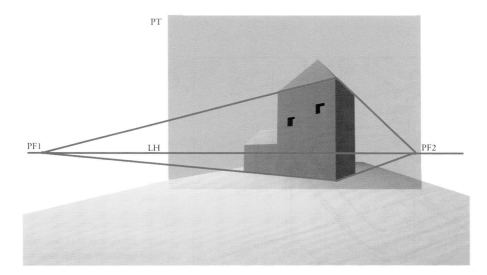

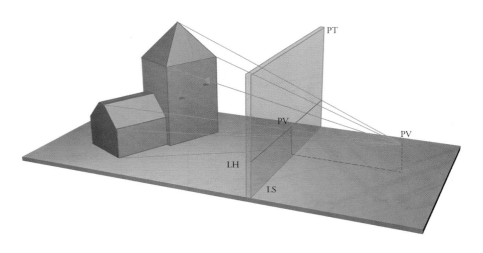

 Fig. I

Depuis le point de vue de l'observateur, on peut constater que l'objet comporte deux points de fuite distincts. Sur le schéma, les lignes de la base de l'édifice fuient, pour l'un des côtés, vers le point PF1, et, pour l'autre côté, vers le point PF2. Toutes les lignes parallèles à l'une ou l'autre de ces orientations fuiront vers l'un ou l'autre de ces deux points. Comme on peut le vérifier, tous deux sont situés, en hauteur, sur la ligne d'horizon.

 Fig.2

Dans la perspective oblique, l'objet ne se présente pas de façon parallèle au plan du tableau, mais forme avec lui un angle déterminé. La partie la plus proche de l'observateur n'est pas un plan mais une arête, autrement dit l'intersection de deux plans.

pas à pas

Ce lavabo est une bonne illustration des caractéristiques de la perspective oblique. Depuis le point de vue choisi, aucun des côtés du lavabo ne se présente à l'artiste de manière horizontale ; cela revient à dire qu'il existe deux points de fuite.

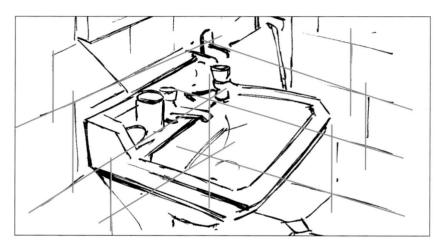

 1

Il importe dans cet exercice que les volumes et les divers éléments soient mis en place avec une grande précision, et que le tracé de l'esquisse définisse avec clarté les différents plans.

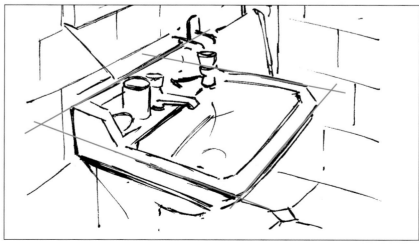

 2

En raison de la complexité du modèle, il convient de bien établir d'abord les lignes directrices pour dessiner ensuite, à main levée, le lavabo dans une perspective correcte. Le fait que le lavabo soit de forme rectangulaire facilite le travail de mise en perspective.

Traitez d'abord le mur carrelé de gauche qui définira la première tonalité à mettre en œuvre parmi les multiples nuances du modèle ; ici, il s'agit d'un bleu très transparent. C'est dans cette même couleur, mais beaucoup plus lumineuse encore, que vous peindrez ensuite l'intérieur du lavabo, en réservant des zones blanches pour les parties les plus éclairées, avec des transitions très douces pour éviter tout effet d'arête vive. Le côté du lavabo est traité de la même manière.

Peignez le mur de face dans un ton plus clair que le mur précédent, mais dans sa partie basse la couleur se fera progressivement plus dense, jusqu'à passer pour un bleu franc dans ce contexte de blancheur. La serviette peinte en vert met en relief le rebord supérieur du lavabo, dont la blancheur lumineuse se dégage ainsi au milieu de tonalités plus sombres.

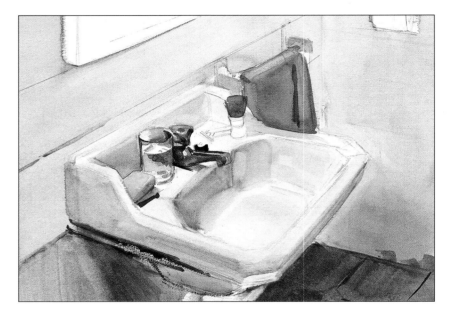

Précisez le modelé des tonalités de blanc à l'intérieur du lavabo ; toute cette zone mérite un soin particulier, parce que les nuances de la lumière y sont particulièrement subtiles. Les plans lumineux, comme les chants de l'objet de céramique, sont démunis de coins ou de rebords tranchés, toutes les arêtes y sont arrondies ; cela nécessite des fondus très légers et très adoucis.

Il importe, au moment de peindre le sol, que la ligne qui le sépare du mur de droite soit pratiquement parallèle au bord correspondant du lavabo ; il en va de même pour les dallages et les carrelages. À cette étape, accentuez certains contrastes, dans les zones blanches les moins claires, en y appliquant un lavis de teinte violette. Appliquez-en aussi quelques touches sur les carreaux de faïence pour marquer la réfraction de la lumière. L'ombre du lavabo sur le mur et les parties sombres de ses rebords seront peintes en brun.

La mise en valeur des différents plans qui composent le tableau est ainsi quasiment achevée. Adoucissez l'ombre du lavabo sur le mur, et ajoutez un dégradé de bleu très léger à l'ombre portée du miroir. Procédez au tracé des carreaux sur le mur, en marquant au pinceau quelques reflets brillants. Affinez quelques contrastes très subtils sur le lavabo, et les détails des divers accessoires.

Restent à peindre les zones sombres sous le lavabo, et à marquer les lignes de jointure du dallage avec les murs. À l'intérieur du lavabo, soulignez quelques contrastes délicats d'un bleu très léger, et ajoutez un glacis d'une terre de Sienne presque transparente sur les parties les plus intensément lumineuses des rebords de la vasque. Enfin, la partie éclairée de la serviette reçoit elle aussi un glacis de jaune très adouci.

5. Perspective plongeante

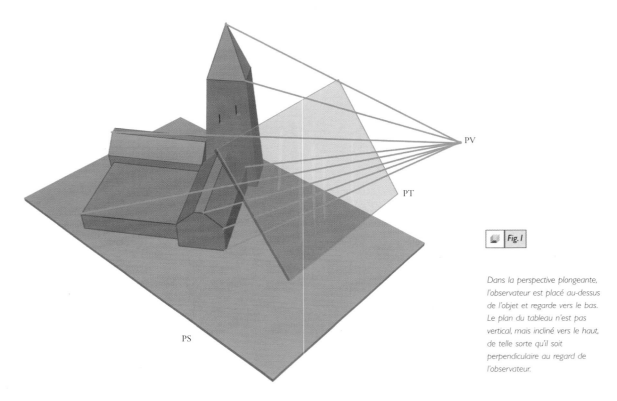

PV

PT

PS

Dans la perspective plongeante, l'observateur est placé au-dessus de l'objet et regarde vers le bas. Le plan du tableau n'est pas vertical, mais incliné vers le haut, de telle sorte qu'il soit perpendiculaire au regard de l'observateur.

La perspective frontale et la perspective oblique se fondent sur le fait qu'une face de l'objet, ou bien l'une de ses arêtes, est totalement perpendiculaire au plan du tableau, c'est-à-dire que les lignes verticales sont vues de face, et qu'elles sont par conséquent parallèles entre elles.

Mais il existe un troisième type de perspective, la perspective plongeante – ou vue d'en haut –, dans lequel, en raison de la position du spectateur, les lignes verticales ne sont pas perçues comme parallèles, mais comme fuyant vers un troisième point de fuite.

Supposons, en guise d'exemple, que le spectateur soit au sommet d'un gratte-ciel et que, regardant vers le bas, il perçoive un ensemble d'édifices de moindre hauteur. On constate que les lignes verticales de ces édifices, vues d'en haut, ne sont pas perçues comme parallèles bien qu'en réalité, elles le soient, mais que, par l'effet de la perspective, elles convergent vers un point imaginaire ; par le même effet, les façades regardées d'en haut se rétrécissent dans leur partie basse.

Ce qui se passe dans ce cas, c'est que le plan du tableau, sur lequel est représentée l'image en profondeur, a cessé d'être vertical. Étant donné que ce plan doit toujours être perpendiculaire à la ligne de mire (qui est, comme nous le savons, l'axe du cône visuel imaginaire formé par les faisceaux de lumière qui partent de l'objet pour atteindre notre œil), si nous regardons vers le bas, cette ligne de mire cesse d'être horizontale, et le plan du tableau, cessant du même coup d'être vertical, s'incline vers le haut.

Ce type de perspective réunit les traits propres aux deux types antérieurement décrits et y ajoute ce facteur supplémentaire que les lignes verticales fuient, elles aussi, vers un troisième point de fuite qui crée un effet de profondeur vers le bas.

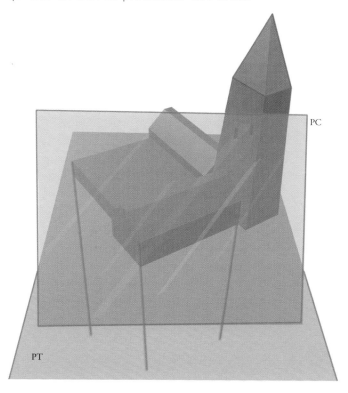

 Fig.2

Du point de vue de l'observateur, on peut vérifier que les lignes de l'objet ne sont pas parallèles comme dans les deux autres types de perspective, mais qu'elles fuient vers le bas. Si nous prolongions ces lignes imaginaires, elles se rassembleraient en ce troisième point de fuite qui caractérise la perspective plongeante. Comme cependant, dans la réalité que l'illustration présente, les murs de la tour ne sont pas absolument verticaux, mais plus étroits dans leur partie supérieure, leurs arêtes ne sont pas perçues comme fuyant vers un troisième point de fuite.

Boîte d'aquarelle

Les objets les plus communs de la vie quotidienne peuvent offrir un intérêt plastique et servir de modèle aux apprentis pour réaliser des exercices variés de représentation en perspective ; il en va ainsi de cette familière boîte d'aquarelle, qui se prête à un intéressant exercice de composition. Le fait qu'elle soit de hauteur réduite ne doit pas nous induire en erreur : comme le regard la surplombe, il s'agira de perspective plongeante, et non pas simplement de perspective oblique.

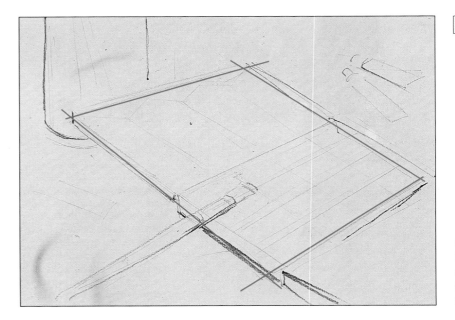

L'attention doit se porter d'abord sur l'espace qu'occupe la boîte ouverte et sur la mise en place des lignes principales dans une perspective correcte.

Sur le schéma de l'esquisse initiale, accentuez les lignes qui renforcent la structure de la boîte. Le fait que le pinceau soit posé parallèlement à la boîte exige qu'il ait une même ligne de fuite qu'elle.

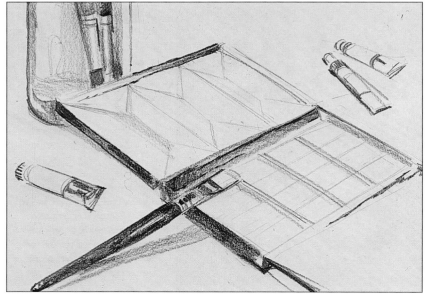

Finissez d'affirmer les formes de la composition par quelques traits appuyés qui marquent les zones d'ombre. Les parties brillantes et lumineuses sont maintenues en blanc ; un trait vigoureux définit les compartiments de la boîte.

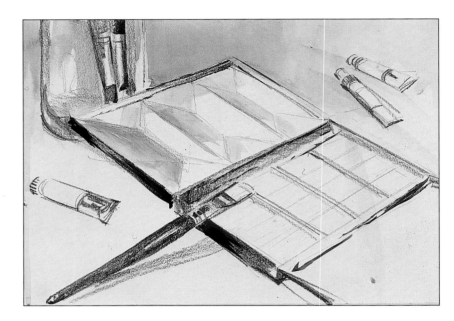

Le dessin étant achevé, passez
à la couleur. Employez pour le fond
un violet très doux ; il convient
qu'il soit d'une tonalité assez froide
(tirant sur le bleu), pour ne pas nuire,
ultérieurement, à l'effet de la
perspective chromatique.

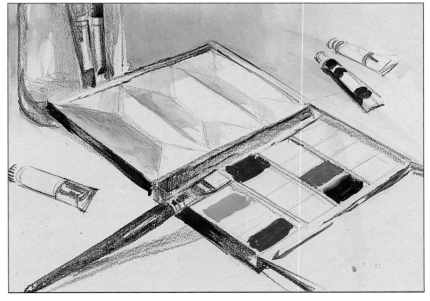

Peignez en blanc et en bleu les tubes
d'aquarelle de l'angle supérieur droit.
Le fait d'utiliser de la peinture en
tube permet de choisir des couleurs
fortes et lumineuses, pratiquement
sans les délayer. Réservez pour le
premier plan les couleurs les plus
chaudes et les plus denses.

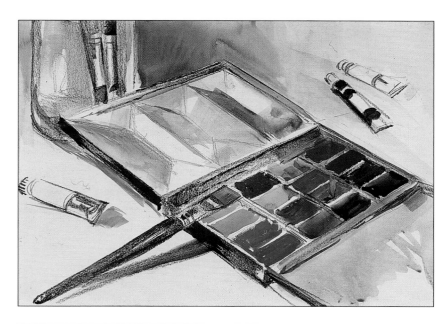

 6

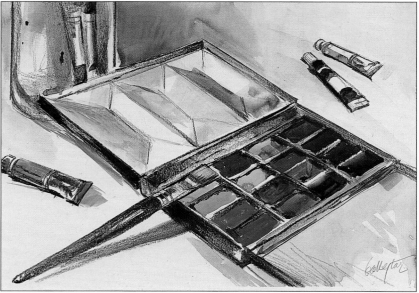

Avant de continuer à peindre les couleurs de la palette, obscurcissez le fond avec une teinte grisâtre obtenue par le mélange de plusieurs couleurs.

 7

Le manche du pinceau reçoit une dernière touche de noir. Il convient que la teinte du fond demeure très diluée ; sinon l'intensité de la couleur aplatirait l'image et nuirait à l'effet de perspective.

6. Perspective plafonnante

La perspective plafonnante – ou vue d'en bas – n'est qu'une variante de la perspective à trois points de fuite ; la différence est que, dans le cas présent, au lieu de regarder vers le bas, le spectateur regarde vers le haut.

Quand nous sommes au pied d'un édifice très élevé et que nous regardons vers son sommet, nous constatons que les verticales convergent à mesure que la hauteur augmente. Le phénomène est le même que dans la perspective plongeante, sauf que cette fois le troisième point de fuite, au lieu de se situer au-dessous du sol, se situe dans le ciel. Comme dans le cas précédent aussi, le plan du tableau est incliné ; cette inclinaison s'accroît à mesure que nous élevons notre regard, de telle sorte que si nous regardions totalement à la verticale, le plan du tableau serait parallèle au plan du sol.

L'emploi de la perspective à trois points de fuite, qu'il s'agisse de la perspective plongeante ou de la perspective plafonnante, présente un grand intérêt expressif. Une scène ou une figure représentée en perspective plafonnante produit un effet de grandeur majestueuse ; le spectateur, situé en dessous, se sent par contraste physiquement et psychologiquement rapetissé.

Un édifice donnera l'impression d'être énorme et une personne l'impression d'être importante et puissante. Inversement, dans une perspective plongeante, cette même réalité se présente comme abordable et même insignifiante.

Ces effets sont fréquemment employés dans la photographie et le cinéma pour accentuer l'ex-

pressivité des scènes et produire chez le spectateur des sensations déterminées.

Fig. 1

Quand on observe un objet à partir d'un point de vue abaissé et proche de celui-ci, l'effet perçu est l'effet inverse de la perspective plongeante. Les lignes verticales se resserrent dans leur partie supérieure, en s'orientant vers le troisième point de fuite, situé cette fois dans le ciel.

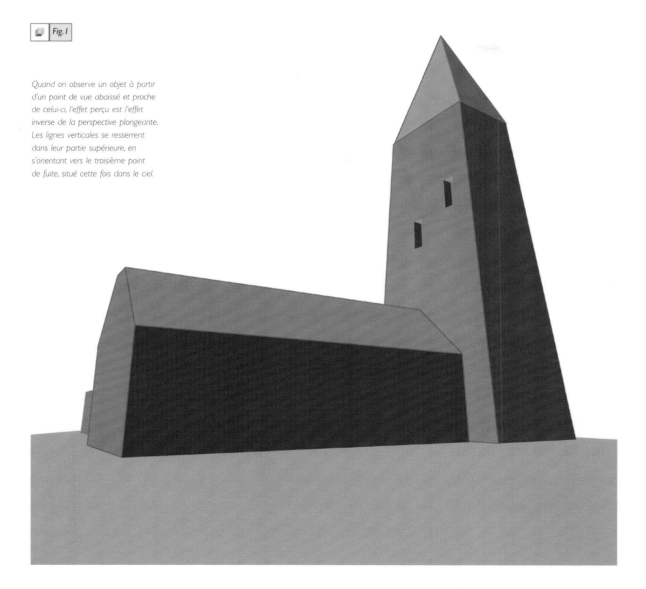

Pratique de

a perspective

# Horizon

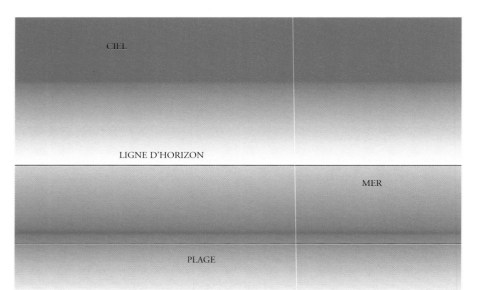

CIEL

LIGNE D'HORIZON

MER

PLAGE

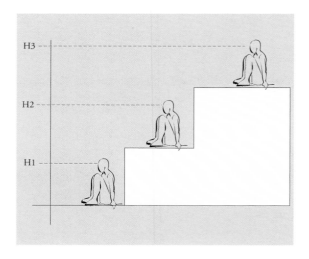

Fig. I

La meilleure représentation du concept d'horizon nous est offerte par la ligne naturelle de l'horizon que nous voyons en observant la mer.

En dessin, le concept d'horizon se confond avec l'expérience d'un observateur qui regarde la mer ; la ligne d'horizon constitue la limite la plus reculée de sa vision. La plupart du temps, cette ligne est imaginaire et nous devons la situer à la hauteur de nos yeux, en faisant intervenir un autre concept, celui de point de vue.

Le point de vue est le sommet de l'angle du champ visuel qui s'ouvre devant l'observateur et il se confond avec la hauteur de ses yeux. Il en résulte, en résumé, que la ligne d'horizon se situe toujours face à nous, et à la hauteur de nos yeux *(fig. 1).*

Les points de fuite, dans le dessin, se situent toujours sur la ligne d'horizon.

Fig. 2

La hauteur de l'horizon varie aussi souvent que l'observateur se déplace ou change de position par rapport à la verticale. Trois observateurs à des hauteurs différentes ont trois visions différentes de la ligne d'horizon.

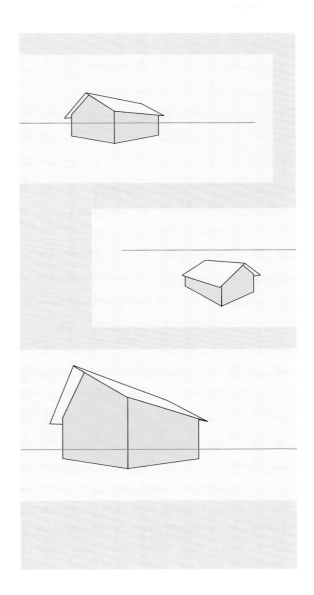

Hauteur de l'horizon

Comme on l'a noté plus haut, il faut situer la ligne d'horizon à la hauteur des yeux. On peut affirmer en conséquence que la hauteur de cette ligne varie avec la position de l'observateur ou, autrement dit, avec son point de vue *(fig. 2)*. Une ligne d'horizon basse suppose un point de vue lui-même abaissé, en sorte que la vision de l'ensemble est semblable à celle que pourrait avoir un enfant de petite taille.

Les édifices et les objets environnants nous surpassent en hauteur, et leur proportion par rapport à nous est amplement accrue. Cette manière de représentation s'utilise surtout quand on vise à obtenir un effet de monumentalité ou de gigantisme. À l'inverse, une ligne d'horizon haute rapetisse tout ce qui se trouve dans notre champ visuel.

Si notre propos est de nous en tenir à une représentation proportionnée, il conviendra de nous placer dans une situation telle que nos yeux et la ligne d'horizon se situent à une hauteur moyenne ou naturelle par rapport aux édifices et aux objets que nous souhaitons étudier *(fig. 3)*.

Hauteur des objets par rapport à l'horizon

Il est un autre concept que l'artiste doit prendre en compte : il s'agit de la localisation des modèles par rapport à la ligne d'horizon. Cela ne

 Fig.3

Comme on le voit sur ces exemples, le même objet, à trois hauteurs différentes par rapport à la ligne d'horizon, est perçu de trois façons tout à fait différentes. Une ligne d'horizon basse agrandit l'objet, tandis qu'une ligne haute le rapetisse. À une hauteur normale, on possède une vue équilibrée.

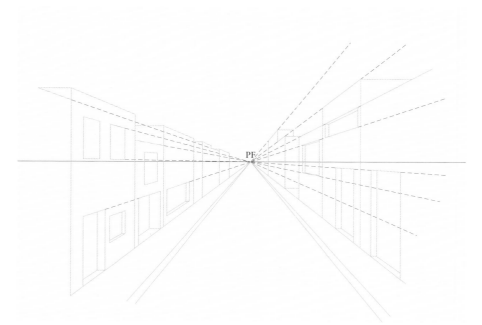

PF

 Fig.4

La plus éclairante leçon de perspective nous est donnée par le paysage urbain, où il apparaît de façon manifeste que la taille des objets se réduit à mesure que les objets s'éloignent. On peut aussi y observer comment les lignes des façades convergent en un même point sur la ligne d'horizon ; c'est ce point que l'on appelle point de fuite.

revient pas au même, en effet, qu'un objet soit situé près de la ligne d'horizon ou qu'il en soit éloigné.

Le meilleur exemple de ce phénomène nous est offert par les poteaux téléphoniques placés le long d'une route, dont l'observation banale nous montre que, en dépit de leur hauteur uniforme, ils apparaissent de plus en plus petits à mesure qu'ils sont plus proches de la ligne d'horizon ou, autrement dit, plus éloignés de l'observateur.

Un autre exemple nous est fourni par l'observation d'un navire à l'horizon. Nous savons que le navire est plus grand que la barque échouée sur la plage, mais sa proximité avec la ligne d'horizon le fait paraître plus petit.

Observons une rue dans une ville. Les lignes de fuite convergent vers un même point que nous appellerons PF (point de fuite), lequel peut être latéral, sur la droite ou sur la gauche, ou bien central. Quoi qu'il en soit, les trottoirs aussi bien que les lignes des façades convergent vers le point de fuite de telle façon que nous percevons d'emblée que les constructions du bout de la rue paraissent de dimension réduite en raison de l'effet de la perspective. S'il en était autrement, si leur hauteur paraissait supérieure à celle des édifices les plus rapprochés de nous, il faudrait en déduire que leur taille réelle est notablement plus élevée que celle de ces derniers *(fig. 4)*.

Horizon invisible

Quand nous nous trouvons dans une rue en pente, que la pente soit ascendante ou descendante, il nous faut, en matière de perspective, recourir à la notion d'horizon invisible.

Dans le cas des rues ascendantes, la ligne d'horizon se situe au-dessous du point de convergence des lignes de fuite des édifices, tandis que les lignes de fuite des trottoirs se rejoignent en un point situé à la verticale du point de fuite des édifices, mais au-dessus de lui.

Dans le cas contraire, c'est-à-dire quand nous regardons à partir d'un point élevé d'une rue, nous pouvons observer comment les lignes de fuite des trottoirs se réunissent en un point situé à la verticale du point de fuite des édifices, mais au-dessous de lui ; la ligne d'horizon se situe cette fois au-dessus du point de fuite des édifices.

On a d'autres exemples de ligne d'horizon invisible dans le cas de la perspective plongeante et de la perspective plafonnante.

En ce qui concerne la perspective plafonnante, si nous nous trouvons, par exemple, dans une rue et que nous regardons vers le haut, nous constatons que la ligne d'horizon se situe en dehors de notre champ de vision. La ligne d'horizon existe, comme toujours, mais elle est invisible. Dans la perspective plongeante, la situation est inversée : les lignes de fuite s'orientent vers une ligne d'horizon située au-dessous du sol, en raison de quoi elle est, elle aussi, invisible *(fig. 5)*.

 Fig.5

Il arrive, en perspective plafonnante, que l'horizon soit invisible, puisqu'il se trouve situé très au-dessus de son niveau normal en vision naturelle.

Paysage

Le paysage est le meilleur banc d'essai en matière de hauteur de l'horizon. Dans l'exemple présent, l'horizon est situé très haut, et le ciel est réduit à une mince frange de bleu.

Cela tient au fait que, placés sur le versant d'une montagne, nous dirigeons notre regard vers son sommet. Le vaste espace qui s'offre à la vue permet de marquer les différents plans qui donnent sa profondeur au tableau.

En raison de l'aspect rugueux du paysage, on le peindra en pleine pâte.

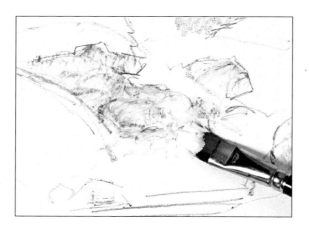

Le paysage est dessiné avec soin, et chacun des plans est marqué avec clarté. Pour rendre la texture de la roche, appliquez une pâte épaisse qui permet d'obtenir un effet de relief, granuleux et précis.

La colline de l'arrière-plan est également traitée en pleine pâte jusqu'à la limite où commencent les arbres, puis elle est peinte dans une tonalité de vert mêlé de blanc, sur toute la zone, pour donner une sensation de profondeur. À l'inverse, les verts des plans rapprochés seront maintenus dans des tons purs. Sur la colline de l'arrière-plan, on représente la texture granuleuse avec un empâtement d'un rose très léger, presque blanc.

 3

Les espaces rocailleux sont exécutés de la même façon que la colline du fond. Une première application de gris foncé reçoit, après séchage, un ton de gris presque blanc, pour lequel on utilise un pinceau usé qui permet de faire ressortir la texture rugueuse des roches.

Les arbres du fond sont peints en vert très foncé ; les plans successifs de la topographie sont définis par des nuances de vert richement contrastées. Dans les parties les plus lumineuses, on mêle au vert une pointe de jaune, pour suggérer une herbe plus sèche ; inversement, l'herbe fraîche est rendue par un vert beaucoup plus foncé.

 4

Il est important qu'une bonne gradation des verts produise l'effet de profondeur recherché, renforcé ici par la texture du support.

Un vert moyen conviendra aux parties claires de l'arbre qui se dresse au-dessus des pierres ; vous l'appliquerez en touches courtes mais en pâte épaisse. L'eau, au-dessous des pierres, sera peinte dans une tonalité verdâtre obtenue par une addition d'ocre, d'orange et de vert. Observez que le premier plan se caractérise par d'amples contrastes chromatiques, tandis que les arrière-plans conservent une délicate harmonie chromatique.

Couleurs et contrastes

La fin du jour est un moment opportun pour une étude du ciel, et par conséquent de la ligne d'horizon.

Dans le cas présent, la ligne d'horizon, basse, permet que le ciel se déploie dans un très vaste espace ; une ligne d'horizon élevée restreindrait au contraire le spectacle du soleil couchant.

Cette heure du couchant offre de surcroît, avec ses tons orange et rouge, une grande richesse lumineuse et chromatique.

Dans cet exemple, la ligne d'horizon nous permet de représenter les nuages de façon appropriée, en même temps que leur reflet dans l'eau.

 1

En premier lieu, commencez par étendre la couleur violette très diluée, puis, en dessous, ajoutez sa couleur complémentaire, et, dans la zone inférieure, une autre bande de couleur orange. Cette combinaison de couleurs préfigure la richesse chromatique du tableau.

 2

Par-dessus les orangés du ciel, appliquez un rouge de cadmium. Peignez enfin la partie terrestre, et les éclats de lumière sur l'eau.

 3

Par-dessus l'orangé, ajoutez un ocre-jaune ; la tache centrale est peinte dans cette même couleur.

2. Perspective de plans inclinés

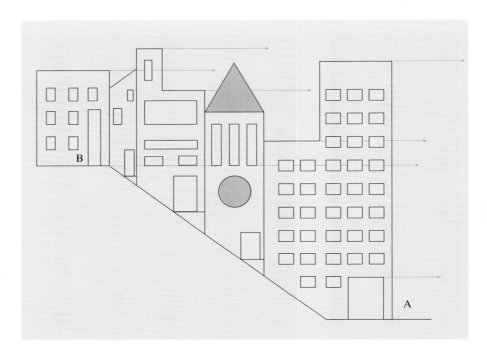

Dans ce dessin représentant une rue en pente de profil, on peut observer – selon ce qu'indiquent les flèches rouges –, et malgré l'inclinaison du terrain, comment toutes les façades des édifices fuient en direction du même point de fuite qu'en perspective frontale.

Jusqu'à présent, toutes nos explications sur la perspective, aussi bien frontale qu'oblique, ont concerné des plans verticaux ou horizontaux. Il faut rappeler cependant que la géographie et l'infinie diversité des constructions humaines présentent une multitude de plans inclinés qui ne répondent à aucun modèle apparent de perspective.

Le présent chapitre se propose de reprendre les observations formulées au sujet de l'horizon invisible (dans le chapitre consacré à l'horizon), parce que le phénomène est tout à fait du même ordre quand il s'agit de plans inclinés ; nous appliquerons les mêmes principes aux problèmes particuliers des plans inclinés en perspective frontale et en perspective oblique. Il convient de noter de

toute façon que, malgré la pente de la rue, les lignes horizontales des édifices fuient vers un point de fuite principal qui est le même que dans la perspective frontale. Cela est vrai des droites horizontales, parce qu'elles sont perpendiculaires au plan du tableau, mais non des verticales *(fig. 1)*.

En ce qui concerne, d'abord, la **perspective frontale**, nous retenons l'exemple d'une rue en forte pente *(fig. 2)* ; selon le point de vue, la pente sera ascendante (A), ou descendante (B). Commençons par la pente ascendante.

On remarquera que le point de vue est bas, en raison de quoi la ligne d'horizon demeure au-dessous de la pente de la rue. Les lignes des trottoirs, dans la rue qui monte, sont ascendantes et fuient vers un point situé au-dessus de la ligne d'horizon, et situé également sur la même verticale que le point de fuite des lignes de façades des édifices, c'est-à-dire le point de fuite propre de la perspective frontale.

Pour localiser concrètement ce point de fuite supérieur, il conviendrait de réaliser une vue depuis ce point de vue bas, et par le moyen d'une parallèle au plan incliné, nous rencontrerions le point recherché sur la verticale élevée à l'extrémité de la pente *(fig. 3)*.

Changeons à présent de point de vue, en nous plaçant en haut d'une rue descendante avec une pente accusée. Nous pouvons alors observer que le point de fuite de la rue descendante – c'est-à-dire de ses trottoirs – se situe en dessous de la ligne d'horizon, et, à nouveau, sur la verticale déterminée par le point de fuite des droites parallèles au plan horizontal ; il est, sur cette verticale, situé au-dessous de ce point de fuite principal.

Comme dans le cas précédent, pour localiser correctement ce point de fuite virtuel, il nous faut réaliser une vue de cette situation *(fig. 4 et 4 bis)*.

Considérons maintenant la représentation des plans inclinés en **perspective oblique** ; il y a sur ce sujet un modèle fort commun dans les représentations aussi bien dessinées que peintes : il s'agit des toits à deux versants, typiques des maisons de campagne. Arrêtons-nous d'abord à la représentation en plan et en élévation de cette maison

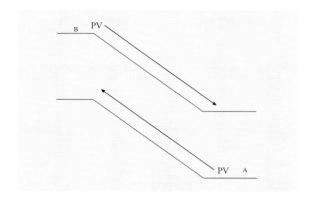

 Fig.2

Selon le point de vue où se situe l'observateur, la pente sera ascendante (observateur au point A), ou descendante (observateur au point B).

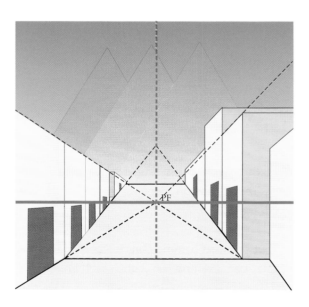

 Fig.3

Quand nous observons une rue en pente depuis un point bas, c'est-à-dire que nous la voyons montante, le point de fuite des édifices se trouve situé au-dessous du point de fuite de la rue.

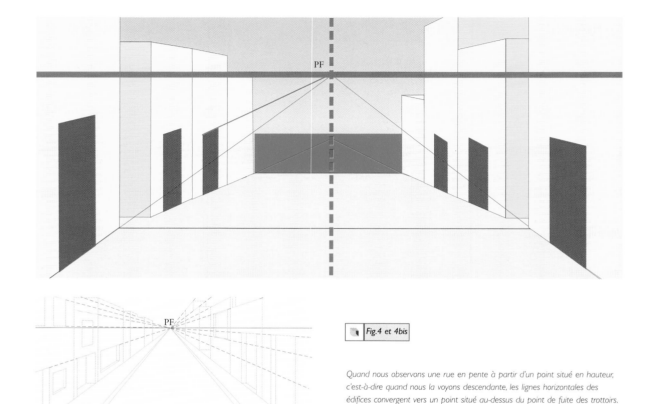

 Fig.4 et 4bis

Quand nous observons une rue en pente à partir d'un point situé en hauteur, c'est-à-dire quand nous la voyons descendante, les lignes horizontales des édifices convergent vers un point situé au-dessus du point de fuite des trottoirs.

dont l'architecture est simple ; il va de soi que cette représentation dépend du point de vue choisi *(fig. 5)*.

Tout se passe comme dans le cas d'une forme simple, par exemple un cube, sauf en ce qui concerne précisément les plans inclinés de la toiture. Comme il s'agit de perspective, les points de fuite sont évidemment indispensables. Les versants du toit n'étant parallèles à aucune ligne ou surface, ils doivent nécessairement avoir chacun d'eux un point de fuite propre ; autrement dit, il y a deux points de fuite qu'il reste à déterminer. On remarque que les points A et B appartiennent à un même côté du bâtiment, mais à deux versants différents de la toiture.

Nous prendrons appui sur ces deux points pour expliquer ce qui se passe. Comme ils sont situés sur un même plan, ils doivent tendre vers un même point de fuite ; il en est ainsi : on trace une droite perpendiculaire à la ligne d'horizon et passant par le point de fuite 2. Un côté du toit tendra vers le point de fuite 3, et l'autre vers le point de fuite 4 *(fig. 6)*.

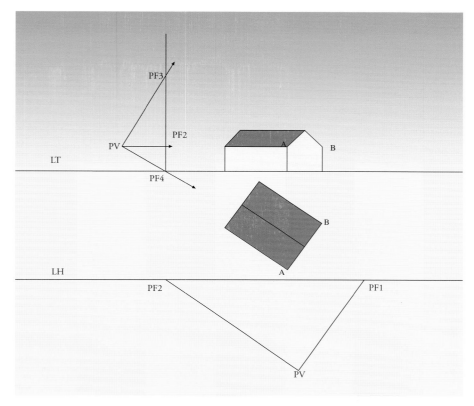

 Fig.5

Sur cette représentation en plan et en élévation d'un bâtiment à toiture à deux pans, on peut observer l'emplacement du point de vue et des points de fuite. Si l'observateur se déporte vers la droite, le toit fuira vers les points auxiliaires situés sur le PF1 ; s'il se déporte vers la gauche, le toit fuira vers les points de fuite auxiliaires situés sur le PF2.

 Fig.6

Pour éviter toute confusion, il faut rappeler la règle de base qui établit que les points de fuite auxiliaires sont toujours situés sur la verticale des points de fuite principaux, l'un au-dessus et l'autre au-dessous.

Ce qu'il faut fondamentalement retenir, c'est que l'un des points de fuite se trouve au-dessous de la ligne d'horizon, tandis que l'autre se trouve au-dessus, mais l'un et l'autre sont toujours situés sur la même verticale à la ligne d'horizon, tracée à partir de l'un des points de fuite propres de la perspective oblique.

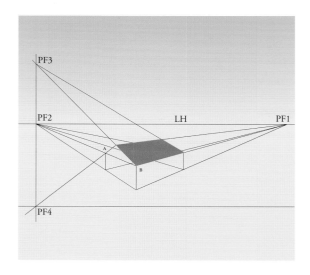

Rue en pente dans un village

À la différence des édifices modernes, les maisons anciennes que l'on rencontre généralement dans les villages n'offrent que rarement des angles et des arêtes disposés de façon parfaitement orthogonale ; elles présentent de multiples imperfections, des murs bossus, de guingois, des toits de travers, et toutes sortes de formes compliquées. Tout cela, au premier abord, paraît devoir être un obstacle à toute représentation de perspective, dans la mesure où l'on ne peut s'appuyer sur des lignes directrices clairement définies. Cependant, si on maîtrise les principales orientations des lignes de fuite, en dépit des accidents que le modèle présente, et si on fait l'effort de respecter l'exactitude des proportions, le sujet devient tout à fait plaisant et le résultat sera d'une grande richesse formelle.

Dans ce genre de travail, l'intuition est importante, parce que beaucoup d'éléments échappent à un tracé purement mathématique. Il faut s'appliquer alors à comparer les proportions et à ne pas s'écarter des lignes de fuite pour s'assurer que l'ensemble du dessin est correctement composé. Par ailleurs, cette complexité et cette irrégularité des formes ne sont pas sans avantage : elles autorisent un dessin plus libre et moins assujetti au modèle, où les erreurs éventuelles seront moins choquantes que dans le cas d'un paysage urbain moderne aux architectures très épurées.

1

La mise en place au crayon de l'ensemble de la scène enregistre une grande quantité de détails, mais il faut veiller à ne pas multiplier ces informations au-delà de ce qui est nécessaire pour offrir une base solide au travail ultérieur de la couleur. C'est ainsi qu'il est inutile de s'engager dans le dessin détaillé des briques ou des irrégularités de la pierre. Comme la scène est perçue légèrement en perspective plafonnante, on peut observer que les verticales des façades ne sont pas strictement parallèles, mais qu'elles convergent vers un point imaginaire dans le ciel.

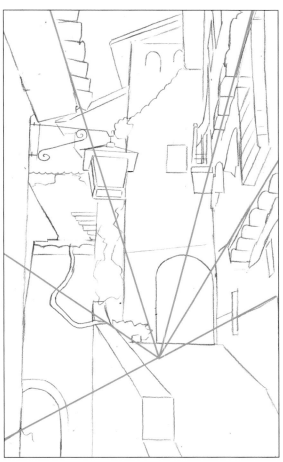

 2

Comme on peut le voir sur ce schéma, et malgré la complexité et l'irrégularité des formes, il s'agit d'une simple perspective frontale, avec un point de fuite situé à mi-hauteur. Si on fait abstraction de la pente au premier plan, les éléments horizontaux des maisons convergent vers ce point.

 3

Les lignes du tronçon de rue en pente situé au premier plan n'ont pas le même point de fuite que le reste de la composition : ce sont les facteurs conjugués de l'inclinaison de la rue et de la direction de la perspective qui détermineront ce point. Dans la mesure où ce plan de sol en pente n'est pas parallèle au plan du sol dans le reste de la composition (et, par conséquent, aux éléments horizontaux des maisons, comme les corniches, les fenêtres, etc.), il y a divergence des lignes de fuite, c'est-à-dire aussi discordance des points de fuite.

 4

 5

Le travail de peinture se fera à la gouache, une technique qui permet un fini très léger, comme avec l'aquarelle, ou bien plus appuyé. Commencez par peindre d'abord quelques éléments principaux, comme les façades des maisons. Les maisons du premier plan seront traitées dans un ton puissant et saturé ; les plus éloignées recevront une couleur plus subtile et transparente.

Dans cette composition, la lumière tombe directement sur les maisons du fond, tandis que le premier plan reste à l'ombre. C'est pourquoi, à mesure que vous disposez les premiers aplats de couleur, il importe de maintenir, entre les deux zones, ce contraste d'ombre et de lumière.

 6

 7

Les détails tels que la texture du sol et des murs doivent être visibles dans les zones les plus rapprochées, mais être exclus dans les plans éloignés, car ils surchargeraient cette partie du tableau et nuiraient à l'effet de profondeur. La pâte est plus épaisse au premier plan et la couleur plus saturée que dans le reste de la scène.

Sur la structure linéaire, nous avons placé les couleurs ; sur la structure chromatique, on peut désormais placer les détails tels que briques, tuiles, feuilles, etc. La complexité formelle du modèle choisi donne loisir à chacun de traiter les détails à son gré, en prenant soin cependant de contrôler la quantité d'informations qu'il intègre au tableau, car un excès de détails dans tous les plans produirait un aplatissement de l'image.

3. Projection orthogonale

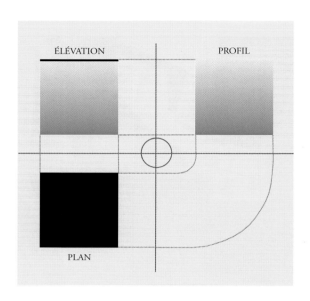

Les trois points de vue les plus caractéristiques de l'objet sont l'élévation (figure du coin supérieur gauche), le profil (figure du coin supérieur droit), et le plan (figure inférieure gauche). Il y a entre elles une relation de correspondance figurée par les perpendiculaires.

Quand on veut connaître un objet déterminé, avec ses mesures exactes, il convient de l'étudier depuis plusieurs points de vue éclairants, qui permettent de se faire une idée exacte de ce que l'on souhaite représenter.

Ces points de vue sont au nombre de trois ; ils ont en commun de se définir par l'angle droit que forme l'objet avec le plan du sol (PS), le plan du tableau (PT) et le spectateur, en projection orthogonale (*ortho* est un mot grec qui signifie en angle droit ou perpendiculaire). Ces trois points de vue sont : l'élévation – ou plan frontal de l'objet –, le profil – ou plan de profil –, et le plan – ou plan horizontal – *(fig. I)*. Depuis ces trois positions, il est possible de définir les véritables dimensions de l'objet, c'est-à-dire qu'on peut percevoir sa forme telle qu'elle est et sans distorsion de perspective. Cela nous servira pour nous faire une idée plus concrète de l'objet que nous voulons situer dans l'espace.

Perspective du cube

Dès qu'il s'agit d'expliquer un système de perspective, il convient de recourir à l'exemple pour visualiser et mieux comprendre ce dont on parle. C'est ainsi que pour aborder les différentes perspectives, nous adopterons la forme la plus simple des objets en trois dimensions, qui est le cube. Considérons donc en premier lieu la perspective frontale.

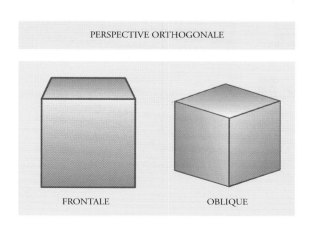

PERSPECTIVE ORTHOGONALE

FRONTALE   OBLIQUE

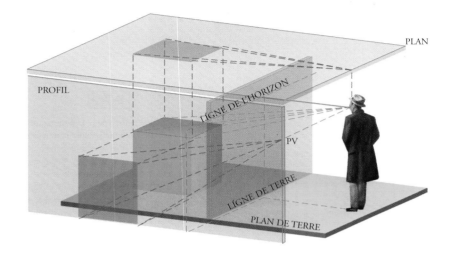

PLAN

PROFIL

LIGNE DE L'HORIZON

PV

LIGNE DE TERRE

PLAN DE TERRE

Fig.2

Projection orthogonale frontale.
Le trait caractéristique de la
projection frontale est que l'une
des faces du cube est parallèle
au plan du tableau.
Les points les plus importants
du cube (ses coins), projetés
perpendiculairement sur le plan
vertical de la vue de profil et sur
le plan horizontal de la vue en
plan (projections orthogonales,
où l'on voit en projection le cube
et le point de vue ou l'œil de
l'observateur) maintiennent
entre eux une rigoureuse
correspondance.

Perspective frontale

Ce type de perspective est moins répandu dans la réalité que la perspective oblique ou plongeante ; il est en revanche souvent plus éclairant. Il existe un seul point de fuite, et les lignes qui ne fuient pas vers ce point sont parfaitement orthogonales, c'est-à-dire qu'elles sont perpendiculaires au plan du sol ou au plan du tableau. Par conséquent, l'objet livre toujours sa véritable dimension, qu'on l'observe de face, de profil ou en plan.

La meilleure façon d'appréhender cela est d'observer l'illustration *(fig. 2)*. Elle montre un observateur face au plan du tableau, et perpendiculairement à lui. Le cube est placé face à l'observateur, de telle sorte que la ligne droite qui relie l'œil du personnage au centre du cube – ou de sa face frontale – soit perpendiculaire au plan du tableau.

La même figure nous montre le plan perpendiculaire au plan du tableau, qui détermine le contour du cube ou son profil. On y voit aussi un plan horizontal supérieur, parallèle au plan de terre, et sur lequel se projette la face supérieure du cube ou sa vue en plan.

Les explications qui suivent concernent la construction, pas à pas, de la perspective frontale d'un cube, en tenant compte du fait que c'est le papier lui-même qui fait office de plan du tableau.

1. On dessine la vue en plan du cube, la ligne du PT à l'horizontale (à la distance que l'on voudra, en plaçant le plan du tableau devant l'observateur) et le PV de l'observateur, au-dessous de la ligne de terre (LT).

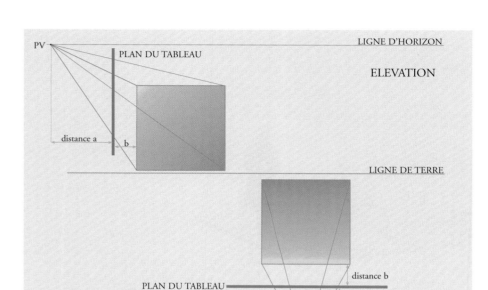

LIGNE D'HORIZON

PLAN DU TABLEAU

ELEVATION

PV

distance a

b

LIGNE DE TERRE

distance b

PLAN DU TABLEAU

distance a

PLAN

PV

 Fig.3

Pour trouver la forme du cube en perspective à partir de ses projections en plan et en élévation (ou en profil), nous plaçons le plan du tableau à égale distance du PV et des projections – la vue en plan et la vue en élévation – (distances a et b). La ligne d'horizon devra passer par le PV de l'élévation. On trace les faisceaux de droites qui visent les coins des projections du cube. Aux points où ces droites coupent le PT, on dessine les lignes perpendiculaires à ce PT.

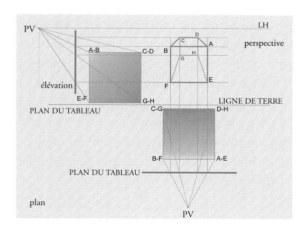

 Fig.4

En prolongeant ces perpendiculaires sur la figure de gauche (l'élévation) comme sur la figure de droite (le plan), on voit apparaître, à leurs points d'intersection, la forme du cube en perspective.

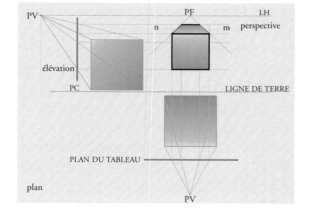

Fig.5

Il importe de bien voir que les lignes n et m sont les seules qui ne sont pas ou bien parallèles ou bien perpendiculaires au PT. Le PF apparaît dans le prolongement des lignes n et m, et sur la ligne d'horizon.

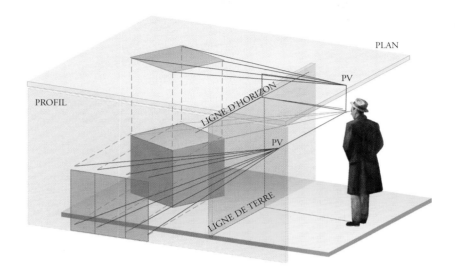

 Fig. 6

Projection orthogonale oblique du cube. Ce qui la différencie de la fig. 2 précédente, c'est que la figure à représenter est placée sur le PS, et qu'elle n'est pas parallèle au PT que l'observateur a face à lui.

2. On réunit les points clefs de la figure, qui sont les quatre coins, au PV, et on marque les points où ces lignes interceptent le plan du tableau.

3. Dans le coin supérieur gauche, on situe à nouveau le PV et le cube sur la LT. On place également la ligne du PT, cette fois perpendiculairement à la LT *(fig. 3)*.

4. En plaçant ces deux figures sur la même feuille, on cherche à établir une relation entre elles ; on l'obtient en prolongeant les perpendiculaires aux PT élevées aux différentes intersections du PT et des rayons issus du PV, dans l'une et l'autre des deux figures (vue en élévation et vue en plan).

5. Les rayons perpendiculaires à chacun des PT recoupent dans l'espace les rayons correspondants de l'autre point de vue, en produisant une série de points clefs du cube nouveau, cette fois en perspective (ces points sont : G-A, G-B, H-A, H-B, I-C, I-D, F-C, F-D) *(fig. 4)*.

6. Il ne reste plus qu'à réunir les points en question, et rechercher le PF (comme on peut le voir sur la fig. 5), qu'on trouvera en prolongeant les deux droites, B-C et A-D, qui forment la face invisible du cube (celle qui produit la sensation de perspective). On peut remarquer que ces deux droites qui fuient (n et m) ne sont, cette fois, et à la différence des autres droites de la perspective frontale, perpendiculaires à aucun des deux PT.

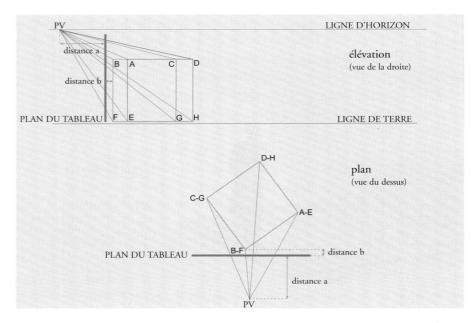

PV   LIGNE D'HORIZON

distance a

B A   C   D   élévation
(vue de la droite)

distance b

PLAN DU TABLEAU   F   E   G   H   LIGNE DE TERRE

D-H

plan
(vue du dessus)

C-G

A-E

PLAN DU TABLEAU   B-F   distance b

distance a

PV

 Fig. 7

L'opération est ici la même que dans l'application précédente (fig. 3, 4 et 5). Il importe de rappeler que les distances, par rapport au PT, de la figure d'une part et du PV d'autre part, doivent être égales dans les deux vues (élévation et plan)

Perspective oblique

L'une des différences les plus claires entre la perspective oblique et la perspective frontale est que l'on voit apparaître de nombreuses lignes qui n'offrent plus de correspondance, ni parallèle ni perpendiculaire, avec les deux PT.

Ce caractère est déterminé par le fait précisément que la perspective oblique dispose la base de l'objet de façon oblique, rompant tout parallélisme avec la ligne de terre ou de sol.

Tout cela est clairement observable sur la figure 6, où une rotation de la vue en plan a créé une série de distorsions. Par ailleurs, une autre différence consiste dans l'apparition de deux points de fuite.

On dessine en premier lieu la ligne de terre (LT) et la ligne d'horizon (LH), sur laquelle on situe le PV. Il importe de maintenir des distances égales entre le PT et le PV d'une part, et, d'autre part, le PT et le carré correspondant (en élévation ou en plan), comme on le voit sur la figure 7.

La démarche est la même que celle qui nous a permis d'obtenir la figure précédente, en perspective frontale *(fig. 3, 4 et 5).* Il y a seulement un nombre de tracés beaucoup plus important, qui exige aussi une plus grande attention dans la construction de cette perspective *(fig. 8).* Ensuite, pour vérifier si la figure est correcte, nous prolongeons les lignes de l'objet en perspective qui sont en contact avec le sol ; nous obtenons de la sorte les points de fuite PF1 et PF2, comme on le voit sur le même schéma.

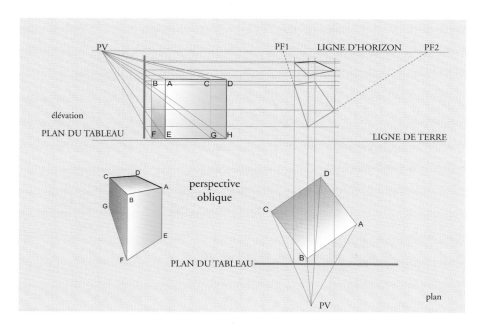

 Fig.8

On remarque qu'il y a deux points de fuite, PF1 et PF2, qui se situent, comme toujours sur la ligne d'horizon, et que l'on obtient en prolongeant les lignes de fuite de l'objet mis en perspective.

Dans le coin inférieur gauche, un schéma explicatif permet de distinguer, parmi les points qui définissent la figure finale, ceux qui sont apparents et ceux qui ne le sont pas.

Dans le monde réel, il arrive souvent que les objets ne soient pas parallèles ou perpendiculaires au niveau optique *(fig. 9)*, mais la perspective oblique permet de résoudre le problème de façon satisfaisante.

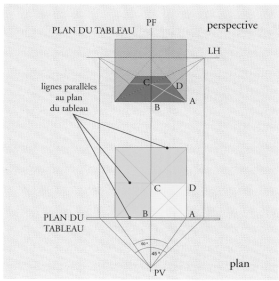

 Fig.9

Comme on le voit clairement, le carré de la vue en plan est parallèle au plan du tableau.

4. Le cercle en perspective

Le thème de la perspective du cercle permet d'approfondir et de mieux comprendre le fonctionnement du système de la perspective à points de fuite. Par ailleurs, s'il s'agit d'exécuter un dessin rapide, ce chapitre vous indiquera également un moyen simple et pratique, même s'il est moins précis, de mener à bien un tracé de cercle en perspective.

Pour cela, il est très utile de bien observer d'abord la figure du cercle en plan, c'est-à-dire en vue de dessus.

La première opération consiste à inscrire ce cercle (tracé au compas) à l'intérieur d'un carré, figure que nous savons déjà représenter en perspective frontale *(fig. 1)*. Une fois réalisée, cette perspective nous livre une limite en profondeur du cercle, sur lequel nous repérons les deux points A et B, que nous savons aussi situer en perspective.

Ces deux points sont insuffisants pour tracer une circonférence *(fig. 1)* ; les nécessaires repères supplémentaires seront tout simplement fournis par le tracé des diagonales sur le carré en plan ; mais il conviendra de situer ces points de repère sur la projection en perspective ; il suffit pour cela de porter les diagonales sur l'un et l'autre des carrés.

Il est facile de reporter les points A, B, etc. sur le carré en perspective, comme l'indique la figure 2. Ces repères suffisent déjà à un tracé sommaire du

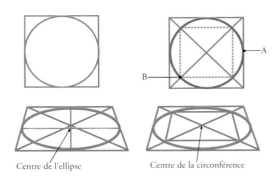

Centre de l'ellipse   Centre de la circonférence

 Fig. I

On voit que la démarche consiste à inscrire le cercle dans un carré ; c'est la projection de ce carré en perspective qui nous donnera la perspective du cercle. C'est une erreur commune de croire que le centre de l'ellipse obtenue correspond au centre du carré en perspective. On peut observer ici que la réalité est tout autre.

cercle en perspective ; la forme obtenue est celle d'une ellipse.

Il est néanmoins préférable de chercher davantage de points de repère pour obtenir un tracé plus précis. Il est simple pour cela de répéter l'opération de repérage de points supplémentaires sur le cercle initial, et de les reporter sur la figure en perspective *(fig. 2)*.

Il importe d'observer que le centre du cercle ne correspond pas au centre de l'ellipse dans le dessin *(fig. I)*, puisque le cercle en perspective continuera d'être un cercle, même si l'œil le perçoit comme une ellipse.

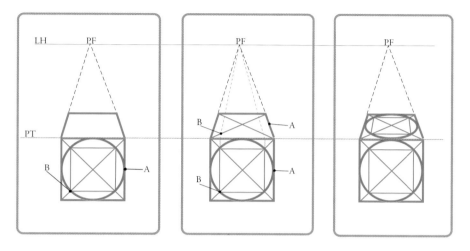

Fig.2

Les points de repère fournis par les diagonales du carré se retrouvent dans le carré en perspective.

Il a été signalé au début du chapitre qu'il existait une autre méthode plus pratique à l'intention des dessinateurs qui voudraient traiter la perspective du cercle de manière plus légère et plus rapide.

gonales, qui livreront les quatre points clefs, comme on le constate dans la figure 2. La figure 3 indique comment la même méthode permet de tracer le cercle en perspective oblique.

Le cercle en perspective (méthode simple)

Cette méthode se base sur l'observation que le carré à l'intérieur duquel s'inscrit le cercle comporte quatre diagonales, en partant du centre jusqu'à chacun des angles. Et si l'on divise chacune d'elles en trois parties égales depuis le centre jusqu'au coin du carré, on obtient, aux points les plus éloignés du centre, quatre repères par lesquels faire passer avec une justesse satisfaisante, le tracé du cercle *(fig. 3)*. Selon la démarche déjà décrite plus haut, on procédera alors à la construction du carré en perspective frontale, avec ses deux dia-

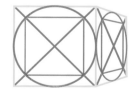

Fig.3

On peut réaliser la même opération avec les faces latérales du cube. Dans ce cas, l'ellipse correspondant au cercle sera verticale.

5. Le cylindre en perspective

 Fig. I

Pour montrer le traitement du cylindre en perspective, nous prenons l'exemple d'un pot à lait. Il faut d'abord insérer la forme recherchée du cylindre dans une boîte rectangulaire, pour bien en respecter les mesures. Cette image montre comment les ellipses (qui sont les bases du cylindre en perspective) s'encastrent à l'intérieur de la boîte rectangulaire. Pour finir, on efface les lignes jaunes qui figuraient la boîte, et le cylindre apparaît à découvert.

Dès qu'on a appris à dessiner correctement des cercles en perspective, on peut aussi commencer à exécuter des perspectives de figures géométriques simples comme le cylindre. Le cylindre se définit par le fait que ses deux bases sont des cercles égaux et parallèles l'un par rapport à l'autre. C'est pourquoi son profil, sur l'élévation de la figure, ne correspond pas à un nombre concret de faces ou de côtés, mais présente une superficie courbe continue qui coïncide avec le périmètre du cercle. Ce contour sera représenté dans le dessin par les seules lignes extérieures qui se confondent avec la hauteur du cylindre.

La clef de la démarche, pour une représentation correcte d'un corps cylindrique, passe par la maîtrise de la perspective d'un prisme rectangulaire dans lequel s'emboîte la forme cylindrique.

Ce que nous avons vu précédemment, à propos du cercle en perspective, implique que le lecteur sait déjà réaliser la base d'un cylindre ; il faudra aussi construire la face opposée, qui bien évidemment, malgré sa position différente dans l'espace, aura les mêmes points de fuite ; il restera ensuite à relier ces deux faces ou bases au moyen de lignes verticales tangentes aux deux cercles, comme on peut le voir dans l'application détaillée de la figure 1.

Il existe, à propos des tangentes qui réunissent les deux bases, une erreur fréquente qui consiste à croire que le plus grand axe de l'ellipse livre les points à partir desquels on peut élever la droite perpendiculaire décrivant la superficie du cylindre. Les points adéquats par où passent les droites qui forment le contour vertical du cylindre sont les

La vie quotidienne offre une multitude d'objets dont la forme de base se rapporte à celle du cylindre : verre, bouteille, tarte ou tronc d'arbre. Ce sont surtout les thèmes de nature morte qui exigent un tracé bien maîtrisé de la perspective du cylindre.

On peut à ce propos recommander au lecteur de vérifier son savoir-faire en exécutant des natures mortes de sa composition, avec, dans un même espace, des formes cylindriques diverses. Il observera à cette occasion qu'en fonction du point de vue adopté les bases du cylindre seront perçues comme des ellipses plus ou moins écrasées.

 Fig.2

Parmi cet ensemble d'objets de nature morte, nombreux sont ceux qui présentent, comme schéma de base, une forme de cylindre. Il importe de noter que tous ne sont pas des cylindres stricts, et qu'ils peuvent avoir des bases inégales ; cela ne change rien à la méthode de construction de leur perspective.

points les plus extérieurs de l'ellipse, comme l'indique la figure 2.

Un cylindre peut occuper des positions diverses, oblique ou renversée par exemple, qui compliquent sa représentation en perspective *(fig. 3)*. Il suffit néanmoins de toujours commencer par le schéma de la boîte correctement disposée dans l'espace, et de tracer à partir de là les ellipses qui formeront les bases du cylindre, en veillant à les insérer avec la précision nécessaire dans leur carré en perspective respectif.

Il importe à ce sujet de savoir à quel type de perspective du cylindre on a affaire, si elle est frontale, oblique ou plongeante, en fonction de quoi la perspective du carré se construira avec un, deux ou trois points de fuite.

 Fig.3

Si l'on décompose les formes de base de cette nature morte, on observe que les ellipses formées par les coupes à divers niveaux de la figure de gauche, et par le cylindre de la figure de droite, correspondent au type de la perspective plongeante.

Nature morte

Pour approfondir le thème du cylindre, la nature morte offre un grand choix d'exercices.

La synthèse des formes sera ici le principal objectif du travail, qui doit toujours aller du général au particulier.

1

La mise en place se fait au crayon, et le modèle est traité dans un encadrement réduit qui vise à rapprocher les objets du spectateur ; le goulot de la bouteille n'apparaît pas, et le reste de la composition est à l'avenant : le profil gauche de la bouteille occupe le centre de la feuille, les autres objets s'organisent en fonction de ce repère ; les éléments principaux et de grand volume sont déplacés vers le côté droit, et les tubes d'aquarelle permettent de maintenir un équilibre satisfaisant dans la composition

2

Le premier travail de peinture consiste ici en un grand aplat de couleur jaune ; préparée sur la palette et très diluée, la couleur est appliquée sur le papier avec vivacité, touche après touche, sans que la précédente ait eu le temps de sécher, jusqu'à couvrir la totalité du fond. Il convient d'observer, dès cette première application de couleur, la distribution des principaux volumes du tableau. Il faut spécialement veiller à laisser en blanc les zones qui devront apparaître comme brillantes.

Il faut attendre que sèchent les couleurs de la première application pour passer ensuite aux couleurs denses et même opaques. Les formes sont traitées comme de grandes taches, généreusement ; ce sera d'abord, sur la bouteille de gauche, une terre de Sienne mêlée à une pointe de carmin ; après avoir rincé et séché le pinceau, ôtez une partie de la couleur dans la zone la plus lumineuse. Appliquez la même technique au pot de droite.

Une touche de vert sur la nappe représente le reflet de la bouteille ; l'ombre est marquée par une seule tache très lumineuse de bleu de cobalt et de terre de Sienne. Un trait au pinceau de terre de Sienne souligne le profil de la bouteille, dont vous commencerez à peindre la partie haute dans une teinte de vert qui entraîne une part du tracé précédent avant qu'il ne soit sec ; au même endroit, par ailleurs, réservez un blanc pour signifier le reflet de la lumière.

Achevez de peindre la couleur verte de la bouteille, qui est plus opaque dans la zone de gauche, où elle absorbe en partie le tracé terre de Sienne. Quelques touches en forme de taches de couleur définissent à la fois la partie sombre des tubes (qui ne sont pas encore peints) et leur ombre portée.

Les tubes sont figurés par des touches de couleur ocre ; il importe de souligner leur volume par des taches brillantes qui ne sont autres que des réserves de blancheur ménagées sur le papier. Le même traitement est appliqué aux pinceaux. Par un mélange de bleu et de terre de Sienne, vous obtenez une couleur grisâtre qui sera délayée jusqu'à fournir un glacis transparent dont vous colorerez tout le fond de la nappe ; laissez en blanc les endroits les plus lumineux, tandis que l'ombre des plis est marquée par des contrastes légèrement accentués.

Avec un glacis foncé, achevez de modeler le volume de la bouteille ; pour finir, précisez la forme des pinceaux par quelques touches sombres. On peut observer que le ton jaune du premier plan ressort en raison de son contraste avec les tons voilés de l'arrière-plan. C'est la variation des ombres et des lumières qui contribue à mettre en valeur le volume cylindrique des objets.

Nous pouvons constater clairement que la forme des tubes de peinture peut être ramenée à des volumes cylindriques.

6. Division en parties égales d'un espace en profondeur

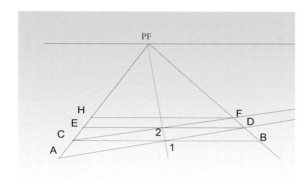

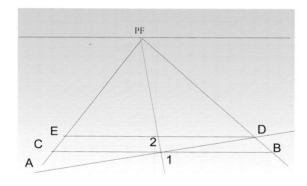

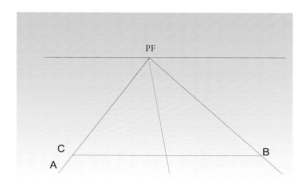

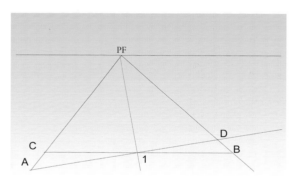

Fig. 1 à 4

L'espace est unique et infini ; le problème est de savoir comment le représenter et comment, à partir de cette représentation, y situer les éléments qui le composent.

Il arrive que nous nous trouvions devant un espace divisé en parties égales, comme les voies de chemin de fer ou de nombreux édifices.

Nous allons voir comment ces cas de figure peuvent être traités en perspective frontale, oblique et plongeante.

Ces schémas décrivent la démarche qui permet de diviser une surface en une série infinie de parties égales. Dans le cas présent, cet espace est représenté sur le plan du sol ; il aurait pu l'être aussi bien sur un plan vertical.

Fig.6 *Puisqu'il s'agit de droites parallèles, les diagonales convergent vers le même point de fuite, comme les rails de la voie de chemin de fer.*

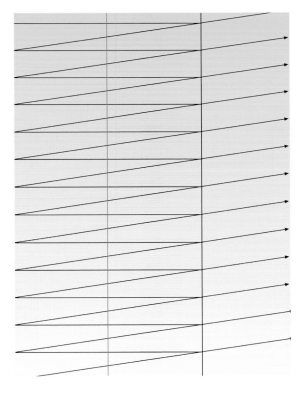

Fig.5

Représentation en plan de ces subdivisions. Comme on peut le voir, les diagonales des quadrilatères sont elles aussi parallèles entre elles.

Perspective frontale

La perspective frontale fait appel à une ligne d'horizon, un point de fuite pour toutes les lignes parallèles et un point de vue.

Prenons l'exemple d'une voie de chemin de fer perçue en perspective frontale. Il convient d'abord de placer la ligne d'horizon et le point de fuite central.

Les rails partent du bord de notre feuille jusqu'au PF sur la LH. D'un trait rouge, on divise en deux parties égales l'espace entre les rails. On établit ensuite les divisions horizontales de la manière indiquée sur les illustrations *(fig. 1 à 6)*.

Observons maintenant ce qui se passe quand il s'agit de diviser un espace vertical en perspective frontale, comme par exemple dans le cas d'une façade dont les fenêtres seraient identiques et équidistantes. La démarche de base est la même que celle qui vient d'être décrite. La différence

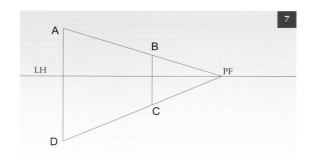

7

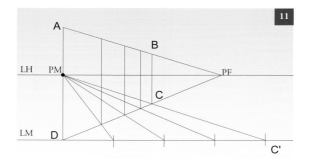

11

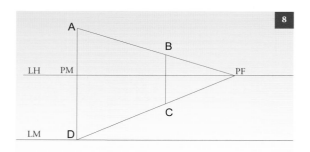

8

 Fig. 7 à 11

7. Dans l'exemple présent, la surface à diviser en quatre parties égales est délimitée par les sommets B, A, D et C.

8. La mise en place correcte de la ligne de mesure (LM) et du point de mesure (PM) est essentielle pour un tracé satisfaisant.

9. La mesure réelle est donnée en faisant passer par le point C une droite qui se prolonge jusqu'à la ligne de mesure.

10. Une fois portées les divisions réelles sur la ligne de mesure, les segments de droites qui relient chacune de ces divisions au point de mesure livrent sur le segment DC les repères de ces divisions en perspective.

11. À partir de ces repères, on élève les perpendiculaires qui figurent chacune de ces divisions.

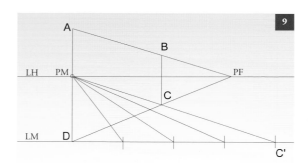

9

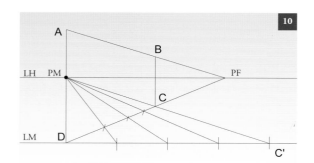

10

tient au fait que cette fois les divisions sont marquées pour chacune d'entre elles par une droite perpendiculaire, comme l'indiquent les illustrations (fig. 7 à 11).

Perspective oblique

Dans le cas de la perspective oblique, l'espace comporte une ligne d'horizon et deux points de fuite (fig. 12).

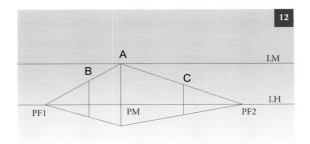

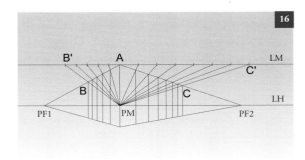

Fig. 12 à 16

12. Ce schéma est celui d'une perspective oblique où nous pouvons reconnaître les deux points de fuite sur la ligne d'horizon.

13. Il faut d'abord établir les limites des surfaces à diviser. On dispose ensuite la ligne de mesure et le point de mesure ; ce dernier se trouve à l'intersection de l'arête la plus proche de l'observateur et de la ligne d'horizon.

14. Pour trouver des distances réelles, on trace les droites qui relient le point de mesure (PM) et les points B et C ; on obtient les points B' et C', qui permettent de diviser les segments B'-A et A-C' en autant de parties égales qu'il convient.

15. Chacun de ces repères est reporté sur le segment correspondant A-B et A-C, par le tracé de la droite qui le relie au point de mesure.

16. À partir de chacune de ces divisions, on élève la perpendiculaire à la ligne d'horizon.

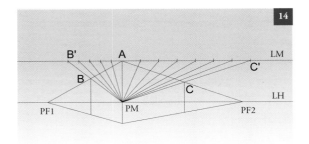

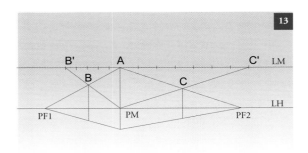

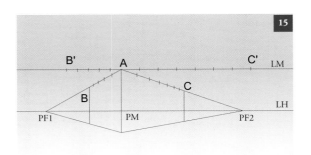

Nous prendrons cette fois pour exemple les murs d'une maison revêtus de panneaux de bois d'égale largeur. Une fois mis en place les murs de la maison, nous disposons la ligne de mesure (LM) et le point de mesure (PM) de la même façon que dans la perspective frontale, sauf que cette fois ils sont placés dans le haut de la feuille pour que les deux façons de procéder soient bien visibles. La ligne de mesure passe par le point A, qui est l'une des extrémités de l'arête la plus rapprochée de nous. Le point de mesure se trouve à l'intersection de cette arête et de la ligne d'horizon *(fig. 13)*.

Pour trouver la longueur des segments réels en perspective, on trace les deux droites qui passent respectivement par les points B et C, et par le point de mesure, et qui se prolongent jusqu'à la ligne de mesure. On obtient dès lors les points B' et C'. Les segments B'-A et A-C' sont divisés en autant de parties égales qu'il convient, en l'occurrence cinq d'un côté et sept de l'autre *(fig. 14)*.

Chacune de ces divisions, comme dans le cas de la perspective frontale, sera reportée sur le segment correspondant une fois relié chaque repère de la ligne de mesure avec le point de mesure ; cette opération nous livrera la division en perspective *(fig. 15)*.

Pour achever le travail, nous élèverons à partir de chacun de ces points une droite parallèle à l'arête principale, qui est perpendiculaire à la ligne d'horizon *(fig. 16)*.

Perspective plongeante

Considérons maintenant la perspective plongeante d'un volume quelconque à diviser en parties égales. Rappelons qu'il y a trois points de fuite : deux sur la ligne d'horizon, PF1 et PF2, et un troisième en dehors de cette ligne, PF3, qui concerne les verticales *(fig. 17)*.

La ligne de mesure sera placée sur le sommet le plus proche du point de vue ; dans l'exemple présent, c'est le point A.

Pour situer le point de mesure, on prolonge l'arête qui passe par le point A jusqu'à ce qu'elle coupe la LH *(fig. 18)*.

Les divisions sont mises en place selon la même démarche que dans les autres perspectives, c'est-à-dire en traçant une droite qui passe par les sommets B et C et par le PM. Le prolongement de ces droites livre les points B' et C' sur la LM *(fig. 19)*.

On procède ensuite à la division des segments B'-A et A-C' en autant de parties égales qu'il convient ; on réunit les points ainsi définis au PM, et, à l'endroit des intersections avec chacune des arêtes, on obtient les repères des divisions en perspective *(fig. 20)*.

Enfin, à partir de chacun de ces repères, on trace les lignes de fuite des verticales en direction du PF3 *(fig. 21)*.

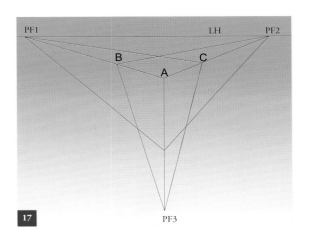

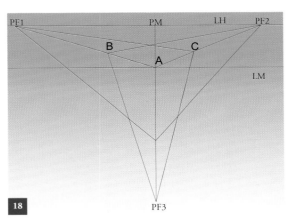

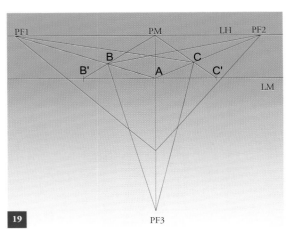

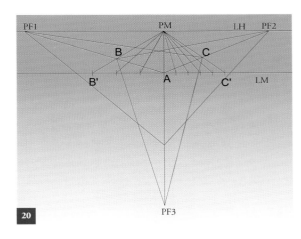

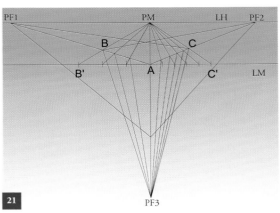

 Fig.17 à 21

17. Pour pratiquer l'exercice indiqué en perspective plongeante, il vaut mieux partir d'un volume simple comme ce parallélépipède.

18. On prolonge l'arête qui passe par le point A vers le haut jusqu'à ce qu'elle recoupe la ligne d'horizon, qui est ici passablement haute. On obtient ainsi le point de mesure.

19. Comme dans les cas précédents, pour trouver la longueur réelle des segments recherchés, B'-A et A-C', on prolonge jusqu'à la ligne de mesure la droite qui réunit le PM et les points B et C.

20. Pour établir la projection en perspective, on reporte sur les segments B-A et A-C les divisions de la LM en reliant ces repères au PM.

21. Enfin, on relie chacun de ces points au PF3 pour définir les lignes de fuite des verticales.

pas à pas

Édifice en perspective oblique

Les édifices modernes fournissent d'excellents modèles pour des exercices de perspective dans la mesure où leurs lignes extérieures tendent vers une pureté dépourvue de toute surcharge. De surcroît, la disposition orthogonale de la plupart de ces constructions simplifie leur représentation en perspective. Nous avons choisi un édifice moderne en perspective oblique, c'est-à-dire qu'aucun de ses côtés n'est parallèle au plan du tableau. Nous savons par conséquent qu'il nous faudra considérer deux points de fuite, l'un à gauche et l'autre à droite de l'observateur.

Ce schéma indique comment sont situés les deux points de fuite. Comme l'artiste n'est pas très éloigné de l'édifice, l'effet de perspective est fortement accentué et les points de fuite ne sont pas trop séparés.

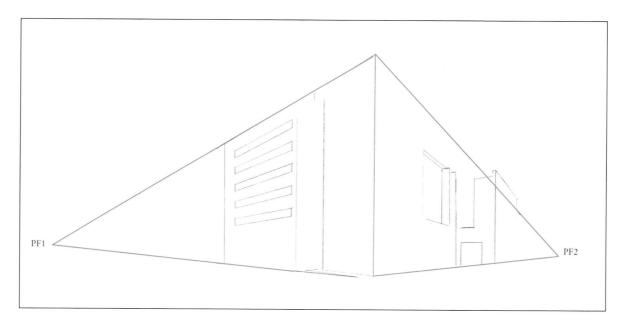

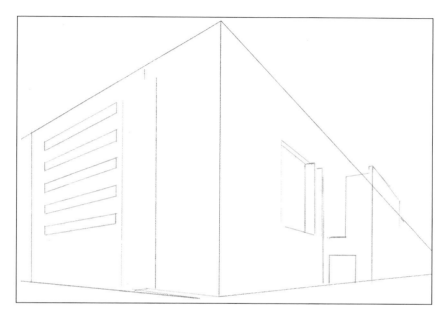

Comme on le voit, les lignes générales de cette construction sont très simples. Il faut d'abord mettre en place ces lignes de base pour assurer la correction de la perspective ; c'est une part essentielle du travail.

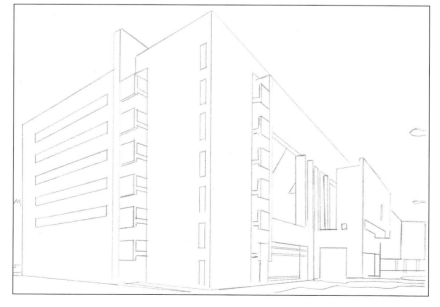

Une fois les lignes générales bien assurées, il faut mettre en place les autres éléments tels que portes, fenêtres, etc. Cette partie de la démarche n'est pas bien compliquée dans la mesure où il suffit de se laisser guider par les trois repères que sont les deux points de fuite et la verticale. Toutes les lignes horizontales fuiront vers l'un ou l'autre des points de fuite, tandis que toutes les verticales seront parallèles entre elles.

Pour faire ressortir cette construction où dominent le blanc et les couleurs claires, il convient de jouer de son contraste avec le ciel. Donnez le ton avec un bleu de base, doux, qui puisse mettre en valeur les teintes de l'édifice. Le travail est exécuté ici avec des crayons de couleur ; il faut à ce propos rappeler que, s'il est difficile avec cette technique d'éclairer une couleur déjà appliquée, il est toujours facile, en revanche, d'obscurcir le travail commencé. C'est pourquoi il importe de procéder avec prudence et de ne foncer les couleurs que petit à petit.

Pour ce qui est des tons de l'édifice, on peut distinguer deux zones de base : celle qui reçoit la lumière directement depuis la gauche et celle qui demeure dans l'ombre. C'est une bonne démarche que de marquer ces deux zones dès le départ. N'utilisez pas pour cela un crayon noir, qui produirait un ton neutre et un résultat très fade. Pour colorer l'ombre, superposez un bleu foncé et un marron ; ces deux couleurs, en se neutralisant, donneront un ton grisâtre avec une grande variété de nuances.

 6

Une fois mis en place les tons dominants, coloriez les autres éléments. Le fait de travailler dans les tons grisâtres exige que l'on prête une grande attention aux variations de l'ombre et de la lumière, qui permettront d'échapper à la monotonie. Comme on le voit, le ton bleuté de l'édifice se distingue clairement du bleu du ciel beaucoup plus saturé.

 7

Avec un crayon finement taillé, achevez de préciser les détails et d'accentuer les contrastes dans les parties les plus sombres ; il convient même de les pousser jusqu'à l'excès dans les zones de premier plan, pour accroître l'effet de profondeur. En forçant la couleur du ciel dans la partie supérieure, on obtient aussi un meilleur contraste avec le blanc intense des murs.

7. Division d'un espace donné en parties qui se répètent

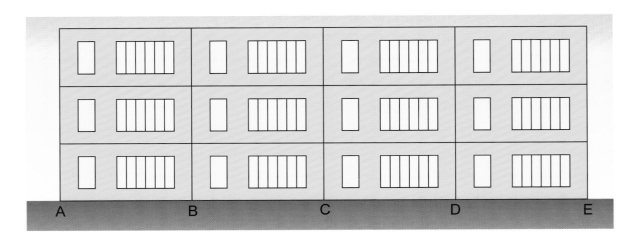

Fig. 1

Pour diviser en perspective frontale une surface composée d'éléments qui se répètent, nous portons les divisions nécessaires sur la ligne de mesure horizontale, et de la même façon les hauteurs pertinentes sur l'arête la plus proche de l'observateur ; ensuite, étape par étape, selon une démarche qui nous est désormais familière, et en suivant attentivement les constructions de chacune des figures successives, nous procédons au tracé des grands et petits modules. Il importe de bien relier entre eux les points qui se correspondent pour éviter toute distorsion.

Ce chapitre se propose de considérer la répétition régulière de certains éléments le long d'une façade, comme les fenêtres, les portes ou les balcons.

Pour la facilité de l'explication, nous retenons l'exemple simple de l'illustration *(fig. 1)*. Le lecteur observera que le bâtiment, appréhendé en vue frontale, se résume en une répétition régulière des mêmes motifs.

En prenant l'édifice dans sa totalité, nous en recomposons l'image selon les règles de la perspective frontale *(fig. 2)*.

Dans sa façade principale, c'est-à-dire de A à C, il comporte quatre modules égaux. Sur la ligne de mesure, on porte le segment A-E, puis les points B, C et D, qui livrent les segments A-B, B-C, C-D et D-E, correspondant aux quatre modules principaux *(fig. 3)*.

Nous disposons ensuite à leur hauteur exacte les autres éléments plus petits ; pour ce faire, nous marquons ces hauteurs sur l'arête la plus proche de l'observateur, puis nous relions ces repères au point de fuite situé sur la ligne d'horizon *(fig. 4)*.

Sur le segment A-B, nous plaçons les points 1, 2, 3 et 4 *(fig. 5)*. Ces points une fois repérés, nous les relions par une droite au point de mesure *(fig. 6)*. Pour chacune des projections en perspective de ces points 1, 2, 3 et 4, on élève une perpendiculaire à la ligne d'horizon *(fig. 7)*.

Il est alors facile d'achever le travail en repérant les intersections (entre verticales et lignes de fuite des horizontales) qui définissent et localisent les divers éléments de chacun des modules de la façade *(fig. 8)*.

Considérons maintenant le même édifice en

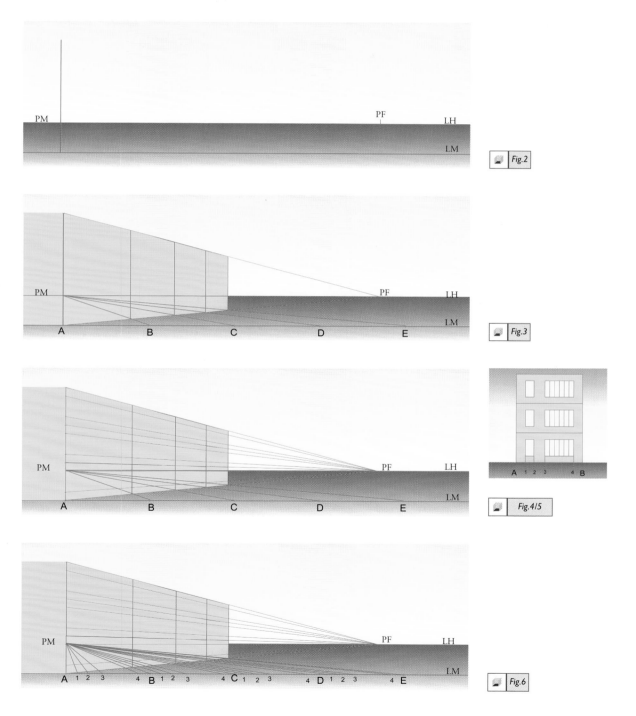

Fig.2

Fig.3

Fig.4/5

Fig.6

85

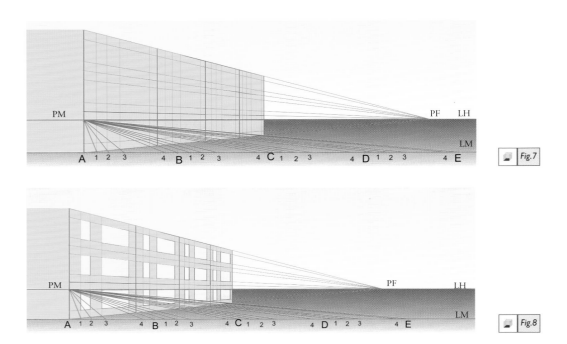

Fig.7

Fig.8

perspective oblique ; nous en retenons deux vues : l'élévation et le profil *(fig. 9)*.

On remarque de prime abord la régularité de l'ordonnancement général des façades ; les fenêtres sont d'égales dimensions et équidistantes entre elles ; les portes, quant à elles, sont de même largeur mais d'une hauteur double de celle des fenêtres. À cette différence près, il en résulte que c'est le même élément qui scande toute la façade sur un rythme parfaitement régulier.

Nous commençons par dessiner chaque façade en perspective oblique, selon les règles que nous connaissons *(fig. 10)*.

Nous plaçons ensuite sur la ligne de mesure, de part et d'autre de l'angle des façades, toutes les mesures utiles, entre autres la largeur des portes et des fenêtres, et la distance qui les sépare *(fig. 11 et*

12). Nous relions ensuite chacun de ces points au point de mesure et, à l'intersection de ces segments avec la ligne des façades, nous obtenons les repères des distances en perspective *(fig. 13)*.

À partir de chacun de ces repères, nous élevons une droite perpendiculaire à la ligne d'horizon *(fig. 14)*.

Sur l'arête la plus proche de l'observateur, nous situons les hauteurs des divers éléments, comme en perspective frontale. Mais cette fois, nous avons deux points de fuite, de telle sorte que chacune de ces horizontales fuira vers l'un ou l'autre point, suivant la façade à laquelle elle appartient *(fig. 15)*.

Aux points d'intersection des verticales et des horizontales, nous avons tous les repères nécessaires pour dessiner portes et fenêtres en perspective *(fig. 16)*.

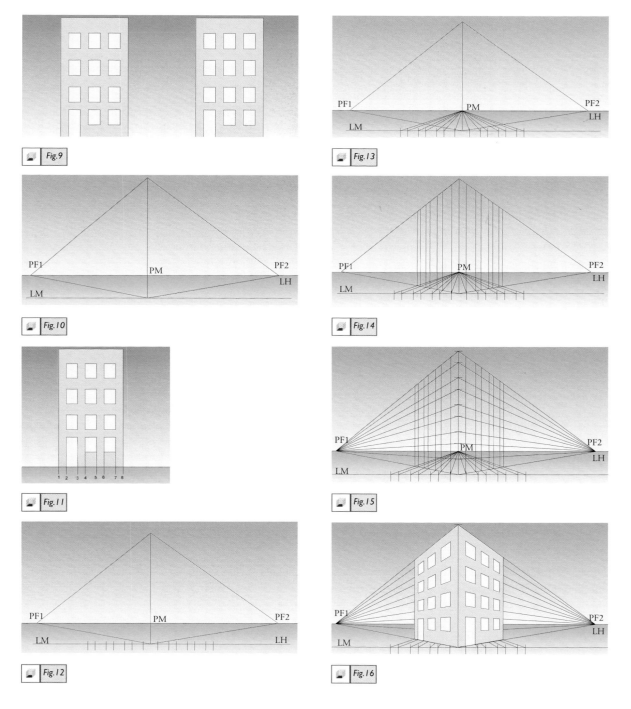

Fig.9

Fig.10

Fig.11

Fig.12

Fig.13

Fig.14

Fig.15

Fig.16

8. Emploi des échelles de hauteur

 Fig. I

Cette illustration montre une perspective frontale dans laquelle le point de fuite se trouve en dehors des limites du papier.

L'usage des échelles de hauteur est le meilleur moyen de réussir des perspectives correctes, sans distorsions dans la composition.

Il arrive en bien des occasions que le sujet que nous voulons représenter, soit parce qu'il est trop grand, soit parce qu'il est trop proche, déborde des limites de notre papier. Quand les points de fuite se situent en dehors du papier ou de la toile, c'est alors qu'il convient de recourir aux échelles de hauteur.

Les échelles de hauteur sont des repères, à la marge du dessin, qui permettent d'orienter les lignes de fuite en l'absence de point de fuite matérialisé.

Comme toujours, nous établirons une différence entre la perspective frontale et la perspective oblique, et leur méthode respective.

Nous avons rappelé dans la fig. I les éléments fondamentaux qui définissent la perspective frontale. Puis la fig. 2 nous permet de constater que, le point de fuite étant situé en dehors de la feuille de papier, il nous est impossible de le représenter. La solution

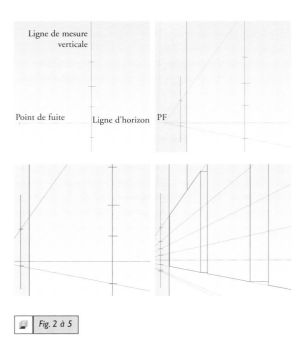

Fig. 2 à 5

2. Ce schéma résume les éléments fondamentaux d'une perspective frontale : une ligne d'horizon, une ligne de mesure verticale et un point de fuite.

3. Comme on peut le voir sur ce schéma, le PF se situe en dehors du dessin.

4. Dans un premier temps, la meilleure solution est de tracer les lignes de fuite principales jusqu'à l'échelle de hauteur établie dans la marge du papier. On situe ensuite la hauteur des divers éléments sur la ligne de mesure verticale.

5. Les autres lignes de fuite seront tracées au jugé, ou à vue d'œil, en veillant à ce qu'elles soient correctement alignées, sur l'échelle de hauteur, par rapport aux deux lignes principales.

consiste à déterminer l'orientation des lignes de fuite principales, et à les tracer jusqu'à l'échelle de hauteur établie dans la marge du papier *(fig. 3)*.

Sur la verticale la plus proche de l'observateur, nous plaçons les subdivisions qui correspondent aux divers éléments architecturaux. Ensuite, à partir de ces subdivisions, nous mettons en place, au jugé, mais en respectant la direction des deux lignes principales déjà établies, les autres lignes de fuite *(fig. 4)* ; il va de soi qu'elles sont contenues entre les deux repères précédemment placés sur l'échelle de hauteur située dans la marge, et que les distances qui les séparent sont plus petites que les distances correspondantes sur l'arête principale dont, cependant, elles respectent les proportions.

Observons ce qui se passe dans le cas de la perspective oblique *(fig. 6)*. Ce sont les deux points de fuite qui se trouvent cette fois en dehors des limites de la feuille ; on devine que la démarche sera identique à celle de la perspective frontale.

On commencera par dessiner à vue d'œil les lignes de fuite principales, en les prolongeant jusqu'aux deux échelles de hauteur établies dans les deux marges du papier, étant donné qu'on a cette fois deux points de fuite, de part et d'autre de l'arête centrale *(fig. 7)*.

On procédera ensuite comme dans l'exemple précédent : on reportera les divisions utiles sur l'arête principale, la plus proche du spectateur ; on reportera ensuite ces divisions sur les échelles de hauteur respectives, en respectant les proportions exactes ; on établira enfin, à partir de ces repères, les lignes de fuite de l'édifice de part et d'autre de l'arête principale.

Fig. 6

Voici la représentation d'un paysage urbain en perspective oblique. On voit au premier coup d'œil que les deux points de fuite se trouvent en dehors des marges de la feuille.

Fig. 7 et 8

On trace au jugé les lignes de fuite principales des édifices, chacune étant orientées vers son point de fuite respectif. Puis on porte les subdivisions nécessaires sur l'arête centrale, et on les projette sur les échelles de hauteur des deux marges de la feuille.

9. Escaliers en perspective

 Fig. 1

Vue d'un simple escalier de cinq marches, en élévation, en profil et en plan. L'escalier est un élément essentiel dans l'architecture.

Le chapitre suivant consacré aux escaliers se justifie par le fait que cet élément architectural est un thème de prédilection du dessin d'art et de la peinture ; il convient donc d'en maîtriser la perspective.

On peut dire en premier lieu qu'un escalier est une succession périodique de marches, comme on peut le voir sur les vues ci-jointes, en élévation, en profil et en plan *(fig. 1)*.

On peut aussi percevoir un escalier, de même qu'une rue en pente, essentiellement comme un plan incliné ; le point de vue de l'observateur sera donc de première importance dans le travail de représentation, tout comme le type de perspective adopté.

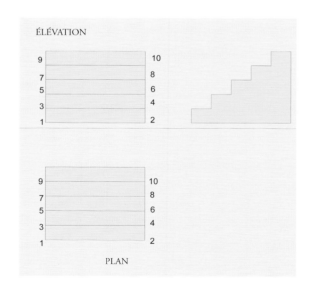

 Fig. 2

On peut remarquer d'emblée que la dernière marche est plus petite que la première, à cause de la perspective.

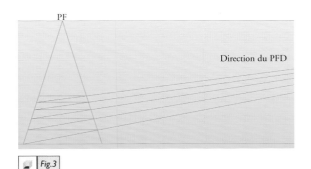

Fig.3

Quand il s'agit de la représentation d'un escalier en perspective frontale, il faut se rappeler les principes de la division d'une surface donnée en parties égales.

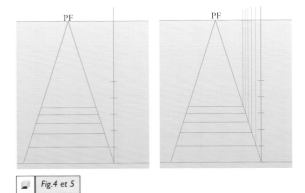

Fig.4 et 5

À partir de l'un des points les plus proches du spectateur, on élève une droite pour y porter les hauteurs. Puis on élève également une droite perpendiculaire à la LH à l'extrémité de chaque marche.

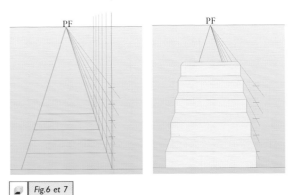

Fig.6 et 7

À chaque repère de hauteur, on trace une droite qui rejoint le PF ; les points d'intersection ainsi livrés permettent de dessiner la perspective de l'escalier.

Voyons d'abord le dessin d'un escalier en perspective frontale.

On se souvient qu'en perspective frontale les dimensions diminuent à mesure qu'on approche du point de fuite. Autrement dit, dans un escalier vu d'en haut ou vu d'en bas, la dernière marche est toujours plus petite que les précédentes *(fig. 2)*.

Pour commencer, nous considérerons la largeur de chaque marche, et nous la dessinerons comme nous l'avons déjà expliqué dans le chapitre traitant de la division d'un espace donné en parties égales *(fig. 3)*.

Une fois établies les lignes latérales qui donnent la largeur de l'escalier, nous élevons à partir de l'un des points les plus proches de l'observateur une perpendiculaire à la LH, sur laquelle nous portons les hauteurs de chacune des marches *(fig. 4)*.

À l'extrémité de chaque ligne horizontale, nous élevons également une perpendiculaire *(fig. 5)*.

Après avoir relié chaque repère de hauteur au PF, les points d'intersection de ces droites avec les lignes perpendiculaires aux marches permettent de définir avec exactitude chacune de ces marches *(fig. 6 et 7)*.

En perspective oblique, la démarche est la même que pour les plans inclinés.

On pose une ligne d'horizon, une ligne de mesure et les points de fuite.

Sur la ligne de mesure, on porte les mesures de l'escalier de part et d'autre du point A. Depuis A, on trace les deux droites qui fuient respectivement vers PF1 et PF2. On relie ensuite au PM les repères figurant sur la ligne de mesure et correspondant à chacune des marches *(fig. 8)*.

À partir des points découverts de cette façon, on élève des perpendiculaires à la LH.

Sur l'arête principale élevée à partir du point A et perpendiculaire à la ligne d'horizon, on situe les hauteurs des marches, qu'on relie chacune au

PF1 ; il en va ainsi dans le cas présent à cause du point de vue choisi ; à partir d'un autre point de vue, cela aurait pu être au PF2 *(fig. 9)*.

Aux intersections de ces lignes avec les perpendiculaires, on trouve les points qui situent chaque marche, et on les projette cette fois en lignes de fuite sur le PF2 *(fig. 10)*. Pour terminer, à partir des intersections adéquates dans le plan de droite par rapport à la perpendiculaire en A, on tire les dernières lignes de fuite en direction du PF1, ce qui achève de constituer l'escalier. À chaque niveau de marche nécessaire, on trace enfin les segments de perpendiculaires qui dessinent les hauteurs, sur la droite, de chaque marche *(fig. 11)*.

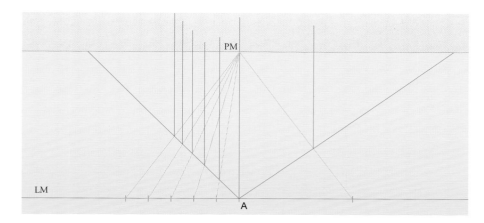

Fig.8

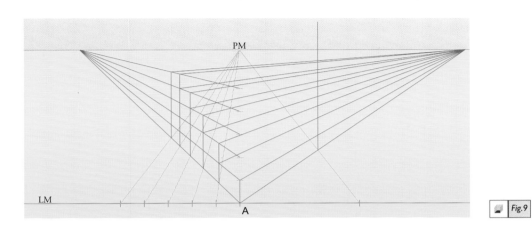

Fig.9

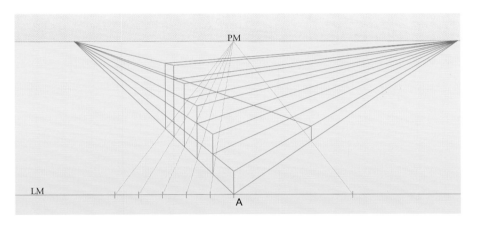

Fig.10

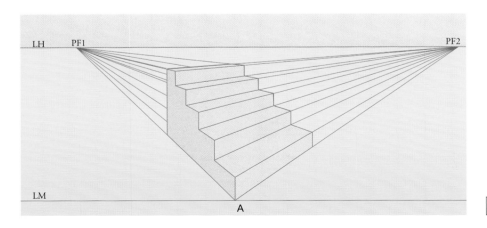

Fig.11

93

10. Ombres en lumière solaire

Ombres et perspective

Dans le dessin artistique, les ombres ont autant d'importance que les proportions ou le tracé lui-même. Ce sont elles qui donnent leur modelé aux corps que l'artiste fait passer des trois dimensions de la réalité aux deux dimensions de sa feuille ou de sa toile.

Les ombres ne sont rien d'autre que l'absence plus ou moins grande de lumière, mais elles dépendent de divers facteurs qui permettent de les classer. Pour expliquer ces phénomènes lumineux, nous ferons appel à un corps qui, en raison de ses caractéristiques, ne laisse percevoir son volume qu'à travers ses ombres. Il s'agit de la sphère.

Le premier de ces facteurs tient à la nature du foyer de lumière. La lumière peut être naturelle, comme celle du soleil, ou bien artificielle comme par exemple celle que dispense un lampadaire ou une lampe *(fig. 1)*.

Un autre de ces facteurs est la direction de la lumière par rapport au modèle et à l'observateur. Elle peut être latérale, frontale, zénithale ou frapper le modèle de dos ; on l'appelle alors contre-jour *(fig. 2)*.

Les ombres peuvent être ténues – on les appelle alors pénombres – ou bien être tranchées et dessiner alors clairement la forme de l'objet *(fig. 3)*.

LUMIÈRE NATURELLE

LUMIÈRE ARTIFICIELLE

Fig. I

La source de lumière peut être naturelle ou artificielle. La différence est que le foyer de la lumière naturelle est si éloigné que ses rayons atteignent la terre de manière parallèle ; le foyer de lumière artificielle est, lui, localisé avec précision, et ses rayons se propagent de façon rayonnante

ÉCLAIRAGE LATÉRAL

ÉCLAIRAGE FRONTAL

ÉCLAIRAGE ZÉNITHAL

ÉCLAIRAGE DE L'ARRIÈRE
OU CONTRE-JOUR

Fig.2

Selon la situation de l'observateur et du modèle par rapport à la source lumineuse, on distingue quatre principales sortes d'éclairage : en lumière latérale, frontale, zénithale ou en contre-jour. Dans l'éclairage frontal, l'ombre est rejetée derrière l'objet, de sorte qu'on ne peut la voir, à moins qu'elle ne soit très allongée et que le point de vue ne soit très élevé.

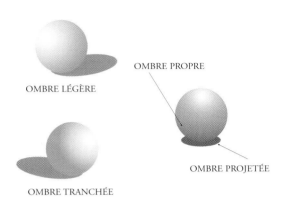

OMBRE PROPRE

OMBRE LÉGÈRE

OMBRE PROJETÉE

OMBRE TRANCHÉE

Fig.3 et 4

Si la source émet des rayons lumineux puissants et si elle est proche du modèle, l'ombre propre et l'ombre projetée seront très marquées ou même tranchées par rapport aux plans avoisinants. Si la lumière, par contre, est faible, les ombres le seront aussi. L'ombre propre est celle que l'objet projette sur lui-même. L'ombre projetée est celle qui retombe sur les plans voisins, verticaux, horizontaux, ou bien les deux à la fois.

Par ailleurs, il existe deux espèces fondamentales d'ombres : l'ombre propre et l'ombre projetée.

On appelle ombre propre l'ombre produite sur l'objet lui-même quand il reçoit une lumière incidente. L'ombre projetée, par contre, est celle qui apparaît sur le sol ou sur d'autres objets contigus lorsqu'un corps est frappé par la lumière ; c'est l'ombre que ce corps projette *(fig. 4)*.

Comme les ombres sont un élément du dessin, elles sont soumises elles aussi aux lois de la perspective.

Pour la cohérence de l'exposé, nous classerons les ombres en fonction de leur source, c'est-à-dire source naturelle (le soleil) ou sources artificielles.

Lumière solaire

La lumière qui provient du soleil se propage de façon rayonnante. Mais le soleil est si éloigné de la terre et l'angle d'incidence de sa lumière si fermé que les rayons solaires peuvent être tenus pour parallèles. C'est pourquoi on entend couramment affirmer que la lumière artificielle se propage de façon rayonnante, alors que les rayons de la lumière naturelle sont parallèles.

Quand l'artiste travaille avec le soleil dans le dos, le modèle n'est éclairé qu'en sa partie frontale *(fig. 6)*.

Prenons l'exemple d'une boîte à chaussures. Si nous la plaçons sur la table, face à nous, et si nous avons le soleil dans notre dos, nous observons que les ombres comme les rayons lumineux semblent posséder le même point de fuite. Les ombres projetées sur le plan du sol ont le même point de fuite que la face inférieure de l'objet, tandis que si l'ombre est projetée sur un plan vertical, par exemple un mur adjacent, elle fuit dans la même direction que les côtés parallèles du dit objet.

Le point de fuite des ombres est situé sur la même verticale que le point de fuite ou, pour être précis, que le foyer des rayons lumineux ; il est, en outre, situé au-dessous de ce foyer lumineux et, placé sur la ligne d'horizon, il coïncide avec les points de fuite naturels.

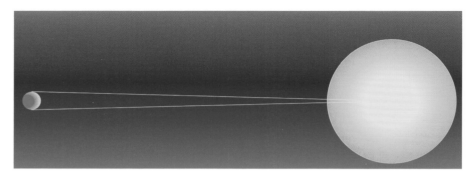

 Fig.5

Les rayons lumineux issus du Soleil atteignent la Terre de façon parallèle, même s'ils sont à leur origine rayonnants. Ce parallélisme apparent est dû à l'énorme distance qui sépare le soleil de notre planète.

Pour en revenir à la boîte à chaussures, nous observons que le côté perpendiculaire aux rayons lumineux et le couvercle de la boîte sont totalement éclairés. Les ombres ont un point de fuite situé sur la même verticale que la source de la lumière en même temps que sur la ligne d'horizon.

De plus, le côté opposé à la face antérieure et l'ombre portée sur la table demeurent dans une ombre profonde *(fig. 7)*.

Quand l'artiste se place face au soleil, on dit qu'il est en situation de contre-jour ; le contre-jour fait que le modèle est éclairé du côté que l'artiste ne peut pas voir, en sorte qu'il ne perçoit qu'une silhouette. L'ombre projetée, par contre, se situe entre l'artiste et son modèle. En situation de contre-jour, le côté éclairé est le côté que l'artiste ne voit pas, tandis que le côté qui lui fait face est dans l'ombre, et que l'ombre projetée s'étend entre lui et l'objet. Les faces latérales et le couvercle sont, quant à eux, partiellement éclairés *(fig. 8)*.

Dans le cas d'un éclairage latéral, le modèle s'assombrit progressivement à mesure qu'on s'éloigne de la zone la plus éclairée. Si l'on revient à la boîte à chaussures, dans le prolongement des observations précédentes, on note que les quantités de lumière se réduisent à mesure qu'on s'éloigne de la source. La disposition de l'ombre projetée dépend de l'inclinaison des rayons qui proviennent de la source lumineuse *(fig. 9)*.

 Fig.6

Si la source lumineuse se trouve derrière l'artiste, le modèle est complètement éclairé ; les ombres qu'il projette sont pour l'artiste invisibles, ou très partiellement visibles.

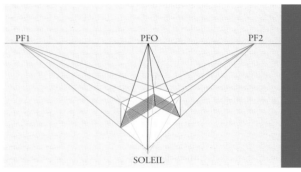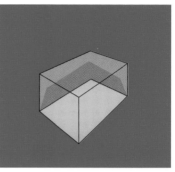

 Fig.7

L'exemple d'une boîte à chaussures permet d'observer ce qui se passe quand la source de lumière est derrière l'artiste ; les côtés de la boîte les plus éloignés de la source de lumière sont dans une ombre complète, tandis que les plus rapprochés sont parfaitement éclairés.

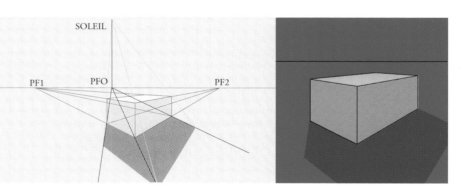

 Fig.8

On peut voir dans cet exemple comment l'ombre projetée s'étend en direction de l'artiste, à l'opposé des lignes de fuite de la boîte et des rayons lumineux.

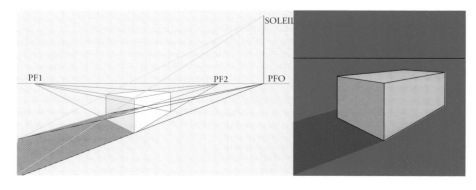

 Fig.9

On observe ici, comme dans les cas précédents, que les ombres fuient vers un point situé sur la ligne d'horizon, et que les rayons de lumière sont parallèles. À l'intersection des lignes de fuite de l'objet et des lignes de fuite de la lumière, on peut voir la limite, en longueur, de l'ombre portée.

Heurtoir

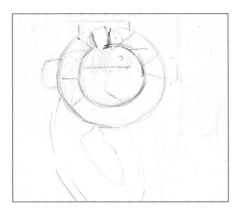

Il faut, comme toujours, prêter la plus grande attention au dessin. Bien qu'il ne présente pas de subtilités, il convient de bien appréhender les cercles qui figurent la synthèse du heurtoir. Après avoir dessiné l'objet, esquissez son ombre sur le portail. Comme, dans ce cas, la lumière tombe du zénith, l'ombre projetée est située presque tout entière au-dessous du heurtoir.

Appliquez un premier lavis sur tout le fond avec des couleurs très transparentes, presque liquides. Il s'agit au départ d'un ocre orangé. Avant que la peinture soit sèche, ajoutez-y quelques taches de bleu qui s'intègrent au fond. Quand le lavis de fond est sec, rehaussez à grandes touches la zone supérieure de gauche avec une terre de Sienne. Au cours de l'opération, le cercle de métal se détache clairement sur la porte. Employez la même couleur, mais beaucoup plus transparente, pour peindre le heurtoir.

La couleur du fond sert de support à de nouveaux glacis, que vous appliquerez au pinceau moyen pour un meilleur contrôle du trait. Les couleurs plus diluées, sur la gauche, sont obtenues après un mouillage préalable du papier. Notez qu'en peignant l'ombre du heurtoir, une partie de la couleur s'est mêlée aux couleurs précédentes. Avec de longues touches de terre de Sienne, commencez à représenter la texture du bois. Enfin, d'une ombre brûlée très foncée, soulignez le contraste sur la porte de l'ombre du heurtoir. Accentuez le contraste du coin inférieur droit avec un glacis rougeâtre mêlé d'ombre brûlée. À l'aide de bleu et de terre de Sienne, obscurcissez le fond avec délicatesse. Après le séchage de ce dernier ajout de couleur, dessinez les veines du bois de la pointe d'un pinceau bien fin.

 4

Passez quelques touches d'ocre mêlé de terre de Sienne sur la partie gauche ; cette application de couleur intéresse principalement les teintes les plus claires, mais elle entraîne aussi au passage une partie de l'ombre du heurtoir. Le travail du forgeron sur le métal est marqué d'une pointe d'ombre à l'endroit des repoussés. Avec la même couleur que celle qui a servi à marquer les repoussés, mais très diluée, teintez l'ensemble du heurtoir, en prenant soin de ménager les réserves nécessaires aux points de brillance, par lesquelles transparaît la couleur du fond. Accentuez les ombres et les contrastes avec une ombre brûlée très foncée : après séchage, appliquez un nouveau glacis d'ombre brûlée sur tout le côté gauche du tableau, en soulignant les principales veinures.

 5

Reproduisez le motif triangulaire du heurtoir. Quand ce travail de finition détaillée du marteau de la porte est bien fait et bien sec, portez la touche de couleur finale sur l'ensemble du heurtoir avec une terre de Sienne étendue d'eau. Veillez à ne pas peindre les zones brillantes qui ponctuent chaque point sombre.
Il faut contrôler avec exactitude la quantité de peinture que le pinceau absorbe, en raison de la surface relativement réduite concernée par cette étape du travail ; il convient de répartir la couleur avec précision, et surtout de ne pas couvrir les points de lumière. Avec un pinceau relativement sec et imprégné d'ombre brûlée, achevez de peindre le bois de la porte ; des traits courts et de petites taches provoquent de subtils contrastes avec toute la texture précédemment élaborée.

 6

La texture du fond est enrichie en certains endroits par quelques touches rougeâtres, parfois presque noires, qui accusent les contrastes. Intervenez alors avec un pinceau humide qui favorisera la fusion entre ces tons nouveaux et les teintes précédentes. Avec un lavis d'ombre brûlée, parachevez la zone du heurtoir ; affinez encore, à certains endroits, la texture du portail avec quelques touches de terre de Sienne et de rouge anglais. L'emploi des ombres a pour effet supplémentaire d'accroître la netteté du tableau par l'effet des contrastes. S'il n'y avait l'ombre portée du marteau sur la porte, la couleur du heurtoir et du bois seraient confondues. Le résultat final montre comment l'alliance du dessin et de la peinture, aidée d'une bonne connaissance de la perspective des ombres, produit une image d'une grande vraisemblance.

Galerie à arcades

Si le paysage urbain offre indéniablement de clairs exemples de perspective dans ses édifices, la plupart des réalisations urbaines suivent également un schéma orthogonal dans la disposition globale des édifices et des rues. Cette galerie montre une perspective très marquée par ses piliers et sa structure métallique ; de plus, on peut constater que les ombres projetées sur le sol par cette structure sont un élément essentiel de l'image, et contribuent grandement à l'effet de profondeur. Il s'agit ici d'une perspective frontale avec un point de fuite légèrement déporté sur la droite.

Cette scène nous rappelle un grand nombre d'œuvres, dans lesquelles la partie supérieure de la composition est fermée par des voûtes et des arches.

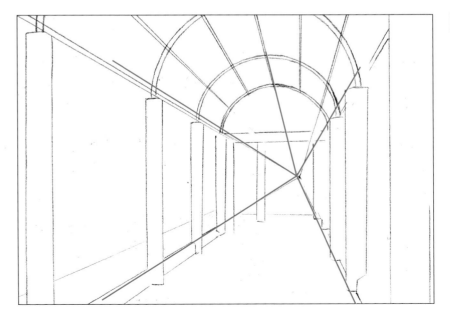

Commencez, au crayon, par une mise en place de l'image dans une perspective correcte. Il convient de situer d'abord les éléments principaux de l'architecture, sur lesquels s'appuieront ensuite solidement tous les autres détails. Le point de fuite est la référence essentielle qui commande la hauteur de tous les piliers.

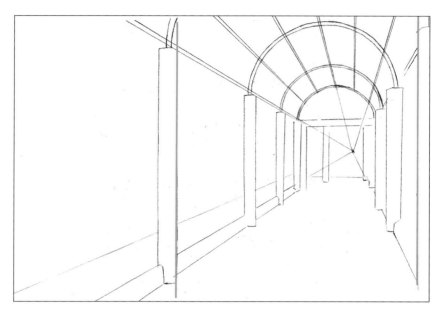

Quand on effectue un travail de perspective en s'appuyant sur une photographie, il peut arriver, comme dans cet exemple, que la scène soit plus ou moins inclinée. On voit, ici, que les piliers ne sont pas absolument verticaux, ce qui d'ailleurs accroît la dynamique de l'image. C'est là une ressource intéressante dont il faut tenir compte.

Une fois que sont correctement placés les éléments de la structure architecturale, procédez à la mise en place délicate de la végétation et des ombres les plus importantes. Il faut que le dessin se contente de suggérer, et que le papier ne soit pas trop marqué par le crayon ; nous allons en effet peindre à l'aquarelle qui est d'une opacité médiocre et qui laisse apparaître les traces de la mine de plomb.

pas à pas _____

 4

Commencez le travail de peinture par le bleu du ciel ; peu importe que le lavis recouvre la structure des arcs, puisqu'ils sont destinés à être peints ultérieurement dans une couleur plus foncée. Appliquez aussi une teinte globale pour le sol et les piliers, dont les nuances précises seront définies plus tard par rapport à l'ensemble de la composition.

 5

La végétation sera globalement traitée en vert, et de façon sommaire. Les feuilles de palmier donnent immédiatement une grande expressivité à la scène. Il convient, pour préserver son unité, de peindre toute la végétation en même temps, plutôt que dans une succession désordonnée de ses divers éléments.

Les feuilles vertes du premier plan reçoivent une couleur plus intense, qui renforce l'effet de perspective. Évitez de peindre feuille à feuille ; il suffit d'esquisser chaque plant de quelques traits. Les bâtiments que l'on aperçoit au fond à droite sont simplement suggérés pour obtenir un effet d'éloignement.

Pour finir, peignez les arcs dans une teinte foncée, en prenant garde que leur épaisseur se réduise à mesure qu'ils sont plus éloignés. Leur ombre projetée sur le sol structure et enrichit la composition. Par ailleurs, l'ombre des piliers donne volume et réalisme à l'ensemble. Il ne reste alors qu'à peindre les derniers détails, les textures de la végétation et de la pierre, etc.

11. Ombres
en lumière artificielle

Comme nous l'avons expliqué au chapitre précédent, toute lumière, qu'elle soit naturelle ou artificielle, se propage en ligne droite et de façon rayonnante ; néanmoins, en raison de l'éloignement du soleil, on considère que la lumière naturelle se propage en faisceaux non pas rayonnants mais parallèles. Ce n'est évidemment pas le cas de la lumière issue d'une source artificielle. On peut ajouter par ailleurs que la lumière artificielle est généralement plus forte que la lumière naturelle, étant donné que sa source est plus rapprochée ; il en résulte aussi que ses ombres sont d'ordinaire plus dures et posent au peintre des problèmes de couleurs et de tons.

La lumière issue d'une ampoule se propage de façon rayonnante. C'est pour cette raison que plus la source de lumière est éloignée des objets, plus la divergence des rayons lumineux que ces objets reçoivent est réduite, ou encore plus l'orientation des rayons se rapproche du parallélisme. Cela explique de même que les ombres projetées par une source artificielle sont différentes des ombres produites par le soleil : dans le premier cas, les ombres sont plus grandes et divergentes, et leur forme est différente, même si, en bien d'autres aspects, elles sont identiques.

Lumière artificielle et lumière solaire répondent aux mêmes principes de base quand il s'agit de dessiner leurs ombres en perspective.

Nous utiliserons donc un point de fuite pour les ombres, mais, cette fois, le point dont proviennent les rayons lumineux a une source précise et

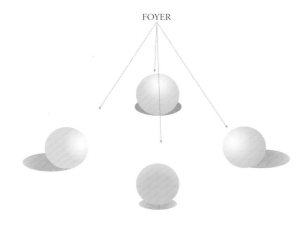

FOYER

 Fig. 1

La lumière artificielle se répand de façon rayonnante. En disposant quatre sphères sous une lumière artificielle, on peut constater que les ombres s'orientent en quatre directions différentes, à la différence de ce qui se produirait avec une lumière naturelle où toutes auraient la même direction.

connue, à la différence de la lumière solaire ; c'est pourquoi on peut parler ici de point au sens strict *(fig. 1)*.

Cela peut paraître confus mais s'explique clairement avec un exemple simple tel que celui de la boîte à chaussures.

Il faut considérer d'abord la direction de la lumière, et la représenter par des droites qui passent par chaque coin de la boîte pour atteindre le sol. L'intersection de ces droites et du plan du sol livre la limite de l'ombre projetée de la boîte. Quant à ses ombres propres, elles correspondent simplement aux surfaces que n'atteignent pas ces lignes d'orientation de la lumière *(fig. 2)*.

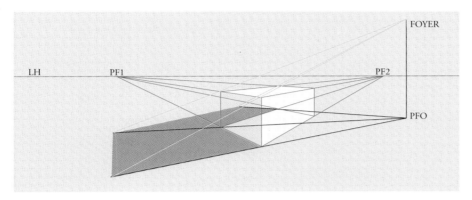

Le foyer d'une lumière artificielle et le point de fuite des ombres sont situés sur la même verticale. Dans cet exemple, le point de fuite des ombres ne se trouve pas sur la ligne d'horizon mais sur le plan du sol.

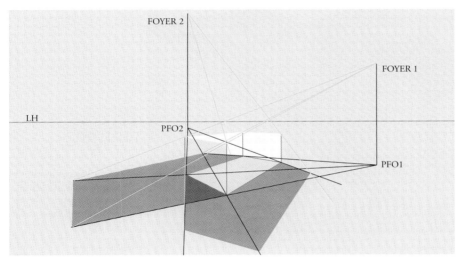

S'il existe deux foyers lumineux, il existe deux zones d'ombre, l'une plus claire et l'autre, à l'endroit où les deux ombres se croisent, plus obscure.

S'il existe plus d'une source de lumière, comme cela arrive fréquemment, on observe alors que les ombres prennent des formes assez étranges.

Comme on l'a remarqué, les points de fuite des ombres sont situés au-dessous de la source de lumière artificielle ; ce qui revient à dire qu'il existe autant de points de fuite des ombres qu'il y a de sources de lumière dans la pièce.

Si on revient à l'exemple de la boîte à chaus-sures, mais éclairée de deux endroits différents, on remarque que les bords des ombres sont beau-coup plus estompés et adoucis que lorsqu'il n'y a qu'une seule source lumineuse. On peut observer également que la zone de l'ombre projetée pré-sente des variations de tonalité. La zone où se croisent et se superposent les deux ombres est plus dense que la zone externe ; on appellera la première ombre et la seconde pénombre *(fig. 3)*.

12. Ombres sur des plans inclinés

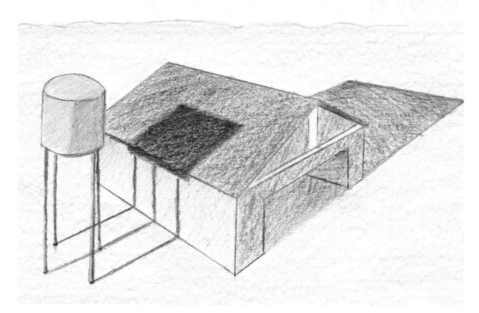

Fig. 1

Il est très commun, dans les paysages urbains, de se trouver en présence de plans inclinés et, par conséquent, d'ombres qui s'y projettent.

Les cas d'ombres sur un plan incliné sont une expérience très commune *(fig. 1)*. L'élément qui produit l'ombre peut le faire depuis le plan du sol, ou depuis le plan incliné s'il s'y trouve lui-même situé, comme par exemple une cheminée sur un toit.

Les ombres dépendront de la position de la source lumineuse et de l'angle d'incidence des rayons. Si la source est en hauteur, l'ombre proje-

tée sera courte et il y aura une grande différence entre la zone de lumière et l'ombre propre *(fig. 2)*.

Si le soleil, au contraire, est bas, comme au lever ou au déclin du jour, les ombres projetées seront très allongées *(fig. 3)*.

Enfin, l'ombre et l'objet seront d'égale longueur si l'angle d'incidence de la lumière est de 45° *(fig. 4)*.

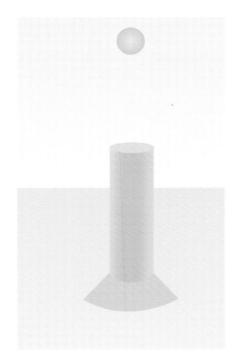

 Fig. 2 et 3

Si le soleil est très haut, l'ombre projetée est très courte, presque imperceptible, et l'ombre propre est très contrastée.

Si le soleil est bas, comme le matin ou le soir, les ombres sont très allongées.

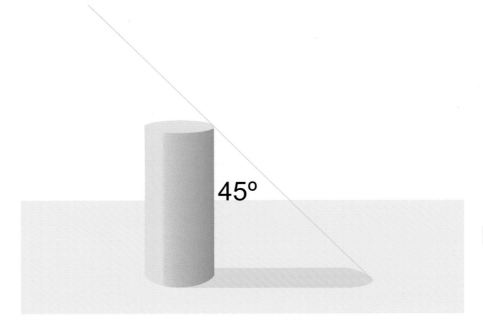

45°

 Fig. 4

Si les rayons du soleil ont une incidence de 45° par rapport au modèle, l'ombre projetée et le modèle sont de même grandeur.

13. Reflets

Corps reflétés dans l'eau et corps reflétés dans un miroir

L'un des problèmes les plus habituels du peintre de paysages ou de scènes d'intérieur est de représenter les reflets ; ceux-ci, en effet, apparaissent sur toutes les surfaces qui, par leur nature matérielle, sont capables de refléter ce qui les entoure. Il s'agit de l'eau des étangs, des lacs, des flaques, ou bien des glaces et miroirs, et des surfaces métalliques ou brunies. Les exemples dans le cours de l'histoire de l'art en sont tout à fait innombrables.

Il existe cependant un problème qui ne laisse pas de surprendre les artistes. On incline toujours à penser que les reflets respectent une exacte symétrie, de part et d'autre de la ligne de séparation, entre la réalité et son image reflétée. Mais cela est faux : le reflet n'est pas la réplique de l'original.

Les reflets qui se produisent sur une surface liquide sont nombreux et variés ; ils dépendent, en effet, de plusieurs facteurs : le mouvement de l'eau, la quantité de lumière ou l'inclinaison de l'objet par rapport à la surface de l'eau.

La figure 2 indique comment le reflet dépend de cette inclinaison et de son orientation ; si l'objet est incliné vers l'observateur, le reflet s'allonge jusqu'à ressembler à une silhouette stylisée ; et cet

 Fig. 1

Les Époux Arnolfini de Jan van Eyck. L'artiste utilise le miroir comme une ressource stylistique et respecte dans le reflet les règles de la perspective.

allongement augmente avec l'inclinaison, bien qu'il existe une position limite au-delà de laquelle le reflet disparaît. Tout cela s'explique parce que le reflet garde la même orientation et le même angle d'incidence que l'objet.

Si l'objet est incliné dans le sens opposé à la situation de l'observateur, le reflet est raccourci.

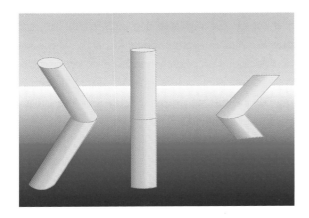

Le reflet d'un objet incliné vers l'observateur est d'une longueur accrue par rapport à l'original. Si l'objet est perpendiculaire à la surface de l'eau, il a la même longueur que le modèle. Si, au contraire, il est incliné vers l'arrière le reflet est d'une longueur réduite par rapport à l'objet.

Si, au contraire, l'objet se tient à la verticale, son reflet sera de même longueur que lui.

Il y a un autre phénomène qu'il faut rappeler : si la surface de l'eau est agitée, le reflet sera brisé *(fig. 3)* ; et plus nous serons proches de l'objet, plus le reflet sera grand et haché.

Par contre, plus nous nous éloignons de l'objet, plus nous pouvons observer que les hachures de l'eau se font plus petites et ne forment plus qu'une tache auprès de l'objet.

Nous avons déjà vu que les reflets dépendent de la lumière. Un reflet très marqué signifie que le soleil ou la source lumineuse éclaire l'objet du côté

Si l'eau est agitée, les vagues brisent le reflet qui, de ce fait, s'allonge.

 Fig. 4

Si l'objet est éclairé, son reflet ne sera pas aussi clair que s'il était à l'ombre ou que s'il était obscur.

opposé au reflet ; quand la partie reflétée se trouve dans l'ombre, le reflet est perçu plus clairement, comme cela arrive, par exemple, avec les coques de bateaux peintes en noir ou en couleur foncée. Inversement, un objet éclairé produit un reflet plus subtil (fig. 4).

À propos de reflets dans l'eau, il est un sujet abondamment représenté par les artistes en raison de sa beauté formelle ; il s'agit des ponts. Leur infinie diversité correspond à l'inventivité architecturale des hommes au cours de l'histoire et au gré des géographies.

Il est un fait vérifiable à première vue, qui est que le reflet du pont montre la partie inférieure de l'édifice ; il en résulte que le reflet est comparativement plus grand que le pont lui-même (fig. 5), que ce soit en perspective frontale ou en perspective oblique.

Les reflets dans un miroir ont des caractères particuliers. Le fait que le reflet reproduise normalement l'ensemble des éléments perçus comme situés de l'autre côté du miroir explique qu'il y a, en perspective frontale, une inversion de la laté-

 Fig. 5

Ce pont représenté en perspective oblique montre que le reflet est comparativement plus grand que l'original puisqu'il donne à voir de surcroît la partie inférieure de l'édifice.

Cette pièce reflétée dans un miroir montre que le reflet joue sur la latéralité en l'inversant.

ralité des objets. C'est-à-dire que ce qui est à droite semble être à gauche et vice-versa ; mais ce qui est en haut demeure en haut et ce qui est en bas reste aussi en bas *(fig. 6)*.

La distance est également inchangée. Cela signifie que si nous plaçons une caisse devant une glace, la distance entre la caisse et la glace est la même qu'entre la glace et le reflet de la caisse *(fig. 7)*.

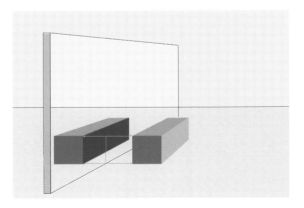

Fig.7

La distance entre le modèle et le miroir est la même qu'entre le miroir et le reflet. C'est aussi un effet de la latéralité.

Marine

Les sujets qui touchent à la mer semblent particulièrement appropriés à la technique de l'aquarelle qui permet d'exprimer la légèreté et la transparence que ce thème exige. En ce qui concerne la perspective, c'est dans le domaine des reflets qu'elle trouve ici sa meilleure application picturale. Il convient de retenir que les reflets ont leurs règles propres, mais qu'ils sont soumis aussi aux règles de la perspective des modèles qu'ils reflètent. S'il est vrai que le calcul d'un reflet n'est pas une chose si complexe quand on se réfère aux explications du chapitre correspondant, il faut, dans la pratique, prêter grande attention à d'autres facteurs : la tonalité et l'intensité chromatique.

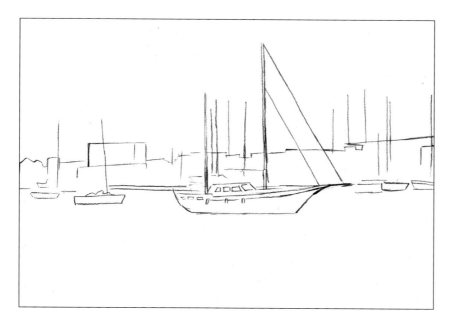

Il faut procéder d'abord à la mise en place de la forme générale des bateaux, et à une légère esquisse des édifices du fond. Dans cette composition, on a une prédominance de verticales et d'horizontales qui suggèrent une forte impression de stabilité. Le croquis au crayon n'a pas à tenir compte des reflets, dans la mesure où ils sont assez simples pour se prêter à une exécution directe au pinceau ; on évite ainsi que transparaissent plus tard des traces de crayon au-dessous de l'aquarelle.

Pour le ciel, appliquez un lavis très dilué. Les formes que prend l'aquarelle sur le papier sont très appropriées à l'imitation de la forme des nuages. Il faut veiller à ce que cette première teinte ne soit pas de nuance trop foncée, puisque, dans le résultat final, elle correspondra à la zone de luminosité maximale.

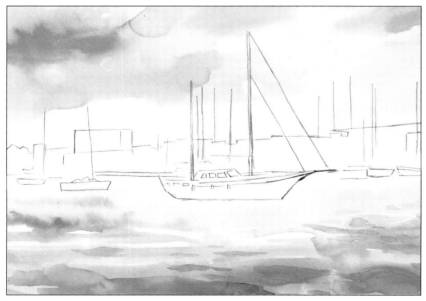

La mer est traitée de la même façon que le ciel, mais choisissez pour elle un ton de bleu plus foncé. La forme des vagues est suggérée par des touches légèrement ondulées, où on laisse apparaître en quelques zones le brillant du papier. La partie inférieure de la composition bénéficie d'un contraste de tonalité plus accusé puisqu'elle est plus proche du spectateur.

Les édifices du fond reçoivent de très légères variations de marron et de vert. Il est important qu'ils ne soient pas marqués par de trop grands contrastes chromatiques, ni par une excessive minutie dans les détails puisqu'ils forment la partie la plus reculée de la composition. Cela aurait même un effet négatif et nuirait à l'importance de l'eau qui est, par nature, le lieu des contrastes les plus subtils.

La tache la plus foncée de la composition, au centre de l'image, correspond à la coque du bateau et à son reflet sur l'eau. Ce centre visuel de la composition devra bénéficier de la plus minutieuse précision dans le détail. Le reflet des mâts est traduit simplement par une ligne verticale brisée ; les courbes que décrit le reflet de la coque se font de plus en plus larges en même temps que diffuses à mesure qu'elles sont plus proches du spectateur ; ou, autrement dit, le reflet sur les vagues se fait plus petit à mesure que l'éloignement augmente.

 6

Enrichissez le détail du bateau central et dessinez de façon simplifiée les bateaux de l'arrière-plan, selon la règle qui veut que les détails diminuent quand la distance augmente. Au premier plan, en revanche, accusez avec force le dessin des vagues.

 7

Peignez le reste des bateaux avec des couleurs claires, en traitant leurs reflets respectifs comme pour le premier bateau. Il faut préciser que la couleur des reflets, elle aussi, devient plus claire quand la distance augmente. Il en va de même pour les édifices, dans leur tonalité propre ; et même si, à cause de l'éloignement, leurs contours n'apparaissent pas sur la surface de l'eau qui s'étend à leur pied, le reflet de leur volume y figure par endroits sous la forme de légères teintes marron.

pas à pas

Paysage

La nature offre également une multitude de paysages naturels dévoilant des reflets sur l'eau ; les lacs et les étangs reflètent tout ce qui les entoure. L'exemple retenu est celui d'un paysage de lac bordé d'arbres.

 1

Le paysage se prête à une grande diversité d'interprétations ; c'est pourquoi, même si on l'aborde d'un point de vue réaliste, rien n'interdit de commencer par pocher les formes de manière très libre et spontanée. Il est alors judicieux de s'attacher aux zones les plus sombres pour détacher ultérieurement les zones lumineuses de la partie supérieure des arbres.

 2

Procédez avec délicatesse pour peindre le ciel ; le ton de bleu n'est pas saturé à l'excès ; il en sera donc de même pour son reflet dans l'eau. Les arbres reçoivent une première couche de vert de chrome et de jaune ; ces deux nuances sont mêlées d'un peu de noir pour rendre les diverses tonalités existantes. Les broussailles sont traitées en touches franches, et vous pouvez commencer à peindre les reflets sur l'eau avec une terre de Sienne.

La zone boisée est peinte ensuite dans des tons de vert ou de terre, avec une grande diversité de nuances. Les arbres de la droite reçoivent un glacis foncé.

Observez comment sont résolus les problèmes de juxtaposition des plans de couleurs dans les zones les plus brillantes et les plus lumineuses, qui sont traitées par touches horizontales et brèves, en pâte épaisse. Pour la zone de l'eau, vous pouvez avoir recours à divers traitements : transparences et fusions de tons pour obtenir les reflets, transparences foncées et touches opaques pour le reflet du ciel au premier plan.

Sur la partie gauche des reflets, réalisez un grand aplat de couleur lumineuse.

La zone la plus foncée du reflet sur la gauche est peinte avec une terre de Sienne brûlée, légèrement transparente. La partie éclairée de cette même zone est peinte en vert clair, appliqué en touches verticales. Pour que le paysage gagne en contraste, peignez, pour finir, en touches horizontales et courtes la zone la plus lumineuse du lac, où se reflète le bleu du ciel.

14. Quadrillage ou mosaïque

Quand on observe les premiers tableaux réalisés en perspective moderne, telle qu'on la conçoit aujourd'hui, on ne peut s'empêcher d'admirer les magnifiques mosaïques à motifs géométriques qui décorent les sols. Elles sont si parfaitement exécutées qu'elles finissent par constituer l'attrait essentiel de ces œuvres. Rien d'étonnant à cela si l'on songe que c'est à partir de ces tableaux que furent élaborées les premières perspectives *(fig. 1)*. Ces carrelages fournissent de surcroît d'excellents repères quand il s'agit de disposer sur le sol, en profondeur, les divers éléments de ces peintures ou dessins d'intérieur.

Nous verrons, à travers différents modes de perspective (frontale et oblique), le traitement d'une mosaïque simple, mosaïque de base constituée par des séries de carrés.

Perspective frontale

Observons pour commencer une mosaïque vue de face, c'est-à-dire comme si, après l'avoir relevée du sol, nous la voyions à la verticale ; nous constatons alors que cette mosaïque est composée d'un réseau de carrés dont les diagonales sont parallèles, dans l'un et l'autre sens.

Pour réaliser une perspective frontale, nous avons besoin des éléments déjà décrits précédemment à maintes reprises, c'est-à-dire de la

 Fig. 1

Jeune femme à l'épinette *de Vermeer de Delft.*
Ce tableau utilise la mosaïque comme un décor pour le sol, qui ne serait autrement qu'une vaste surface unie. L'artiste, par ailleurs, en tire ainsi bénéfice pour accroître l'effet de perspective de la composition.

ligne d'horizon (LH) et du point de fuite (PF). Mais, en outre, dans le cas présent, nous avons besoin aussi du point de fuite des diagonales (PFD).

Une fois placés le PF et le premier segment A-B, on peut trouver le point de fuite des diagonales. Il se trouve sur la ligne d'horizon, et il y a la

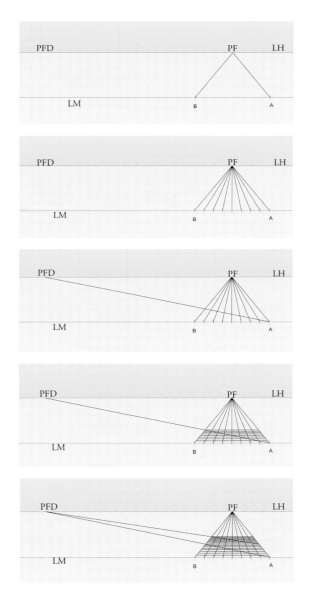

même distance entre le PFD et le PF qu'entre le point de vue et le plan du tableau.

On divise le segment A-B en autant de parties égales qu'il y a de compartiments dans le quadrillage, et à partir de chacun des points ainsi définis, on trace une droite qui rejoint le PF *(fig. 2)*.

On trace ensuite une autre droite qui relie le point A au PFD. Aux intersections de cette droite avec les segments précédents qui rejoignent le PF, on obtient les points par où passent les horizontales parallèles à la LH ; le tracé de ces horizontales fournit une grille achevée *(fig. 3 et 4)*.

Si on souhaite prolonger le carrelage parce que la pièce est grande, on procède comme suit : à partir du dernier point situé sur la droite qui relie le point A au PF, on trace une ligne qui rejoint le PFD, et on répète à partir de là les mêmes opérations que pour la première grille *(fig. 5 et 6)*.

Fig.2 à 6

Pour représenter une mosaïque géométrique en perspective frontale, la démarche est la même que pour n'importe quelle autre surface, mais il faut être très attentif à l'exécution des divisions. C'est la diagonale PFD qui commande l'équilibre de l'ensemble.

Perspective oblique

Pour résoudre le problème d'une mosaïque en perspective oblique, il faut commencer par mettre en place ce qui caractérise ce type de perspective, c'est-à-dire la ligne d'horizon (LH) et les deux points de fuite (PF1 et PF2).

On place ensuite la ligne de mesure (LM) parallèle à la LH. On place sur la LM le point A, le point le plus proche de l'observateur, ainsi que le point de mesure (PM), qui se trouve sur la LH et sur la verticale élevée à partir de A *(fig. 7)*.

À partir du point A, on trace deux droites qui fuient vers le PF1 et le PF2 sur la LH *(fig. 8)*, puis, de part et d'autre de ce même point A, on marque les mesures de chacun des modules de la mosaïque *(fig. 9)*.

À la suite de quoi, on relie chacun des points ainsi déterminés au PM par des segments de couleur bleue, et à leur intersection avec les droites A-PF1 et A-PF2, on obtient les points repères de la perspective recherchée *(fig. 10)*.

On relie enfin respectivement chacun de ces points au PF1 et au PF2, pour achever le tracé complet de la mosaïque en perspective oblique *(fig. 11)*.

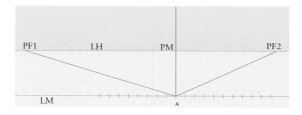

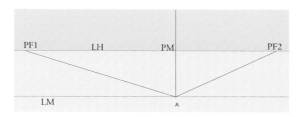

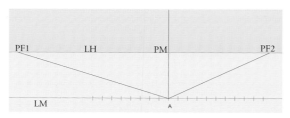

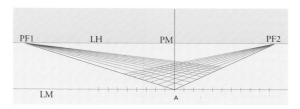

Fig. 7 à 11

En perspective oblique, il faut se rappeler qu'on a deux points de fuite et que, par conséquent, les lignes de fuite se répartissent en deux orientations distinctes.

Mosaïques décorées en perspective

Dans le chapitre précédent, nous avons considéré le dessin d'une mosaïque en perspective ; il s'agissait d'un simple carrelage en dalles carrées. Mais il est clair que nous nous trouvons bien souvent en présence de mosaïques décorées de formes géométriques qui, à cause du foisonnement des détails, semblent très difficiles à représenter *(fig. 1)*.

En réalité, cependant, le principe de la représentation ne varie pas.

Il s'agit de ramener cette apparente difficulté à la mosaïque de base, que nous savons représenter, ou, autrement dit, de tirer profit des connaissances acquises.

Dans la figure 2, nous pouvons observer une série de mosaïques, de celles que l'on peut trouver sur le sol des maisons ou des édifices.

Considérons, pour commencer, la perspective frontale. Comme toujours, nous placerons la ligne d'horizon et la ligne de mesure, et nous chercherons le point de fuite des diagonales. Nous placerons les mesures des éléments de la mosaïque sur la ligne de mesure, et nous relierons ces points de repères au PF.

En reliant chacun de ces points latéraux au point de fuite des diagonales, nous obtiendrons les points de repères nécessaires pour l'établissement de la grille en perspective, et la distribution de toutes les cases qu'elle comporte.

 Fig. 1

Observons l'œuvre de Jan van Eyck intitulée La Vierge du chancelier Rolin *(1435). La mosaïque qui figure au sol est une véritable prouesse de précision en matière de mosaïque décorée. Sa délicatesse démontre une grande maîtrise.*

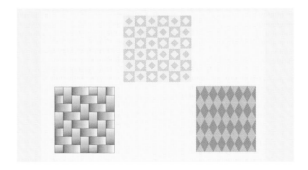

 Fig.2

Les mosaïques décorées comme celles de cette illustration sont des motifs classiques de dallages souvent représentés en peinture. La complication des formes géométriques dépendra de l'habileté de l'artiste.

15. Perspective du corps humain

Le raccourci dans cet exemple n'est pas aussi marqué que dans les exemples précédents, mais il faut en tenir compte dans la mise en place du personnage.

En raison de la grande complexité du corps humain, il est impossible d'en décrire ici une méthode de représentation exhaustive ; il est néanmoins possible de noter quelques règles dont il faut tenir compte.

Comme on l'a vu précédemment, qu'il s'agisse de regarder un personnage ou de le dessiner de façon plus ou moins réaliste, on fait toujours appel de manière plus ou moins consciente au mécanisme du raccourci. Le raccourci intervient aussi souvent qu'une partie de l'objet ou du personnage que l'on est en train de représenter est disposée dans le sens de la profondeur, en sorte qu'on le perçoit comme réduit ou raccourci dans sa longueur.

Pour peu qu'on y prête attention, on s'aperçoit que pratiquement tout élément de la réalité présente quelque forme ou degré de raccourci. Si nous regardons un visage de face, les oreilles sont perçues en raccourci, et si nous nous déplaçons pour voir l'une des oreilles de face, ce sont les yeux et la bouche que nous verrons en raccourci. Tout élément de quelque volume qui soit a l'une de ses faces disposée de telle sorte qu'elle présente un raccourci, mais le cerveau, de façon réflexe, interprète cette réalité. C'est pourquoi, quand nous voyons un personnage, il ne nous paraît pas avoir un bras plus court que l'autre mais être simplement tourné ou bien vers l'avant ou bien vers l'arrière. Au moment de dessiner un corps humain, il importe grandement de contrôler ces effets, de savoir reconnaître comment il faut

 Fig.2

Les effets de raccourci affectent non seulement l'ensemble du corps mais aussi chacune de ses parties de façon indépendante. Une tête peut présenter ainsi un effet de perspective en raccourci. Ce dessin montre une tête inclinée vers l'arrière ; la zone du cou et du menton y acquiert une grande dimension, tandis que le front et le crâne disparaissent presque. Toutes les autres parties du visage, comme le nez et la bouche, sont perçues depuis un point bas.

voir chaque partie du corps en fonction de telle ou telle position dans laquelle il se trouve. Avec la pratique du dessin d'après nature se développe progressivement une certaine perception de l'espace qui permet de visualiser mentalement le corps et de contrôler ainsi ses raccourcis et ses proportions.

Au-delà du raccourci, il faut tenir compte d'une autre donnée. Le corps humain, en tant que réalité visible, est soumis aux mêmes lois de la perspective que tout autre objet. Quand on travaille une composition dans laquelle figure quelque personne humaine, il faut appliquer les mêmes règles de perspective au personnage lui-même et à l'espace dans lequel il se situe ; à défaut de quoi, il semblera que le personnage ne fait pas partie de son environnement, mais qu'il a été découpé ailleurs pour y être collé ; il importe que tous les éléments soient exactement intégrés, pour que l'image produise une impression de cohérence et de naturel.

Pour situer un personnage en perspective, il faut d'abord discerner clairement le point depuis lequel on est en train de l'observer.

Cela ne revient pas au même de regarder un personnage depuis un point de vue situé à la hauteur de son visage que de le regarder depuis le sol, ou encore depuis un lieu élevé en regardant vers le bas. Ce n'est pas non plus la même chose de le regarder d'une distance d'un mètre ou de quinze mètres.

Dans un édifice, les lignes qui sont en réalité horizontales et parallèles paraissent fuir vers un point de convergence plus ou moins éloigné ; de la même façon, dans un corps humain, les horizontales significatives, par exemple la ligne des épaules, fuient vers un point qui dépend de la situation de la personne et de celle de l'observateur. Il convient, pour contrôler ce phénomène, de visualiser le corps comme une forme géométrique simple et de traiter ensuite cette forme en perspective selon la méthode déjà connue.

Femme assise

Quand on souhaite placer un personnage dans un espace déterminé, il faut se rappeler qu'il devra respecter les mêmes règles de perspective que l'espace dans lequel il se situe. Cela s'impose avec évidence dans les cas où le personnage s'appuie sur quelque élément architectural, ou maintient avec la scène en perspective quelque relation d'ordre géométrique. On en trouve un exemple dans l'application qui suit. La femme est accoudée sur une table placée de manière oblique : il importe donc de marquer avec soin que l'une et l'autre appartiennent au même espace. On soulignera également qu'en raison de la proximité de l'observateur et du modèle, la jambe la plus visible est projetée très en avant, et acquiert des dimensions accrues par rapport au reste du corps.

 1

En premier lieu, comme toujours, réalisez une esquisse au crayon. Comme l'observateur est très proche du personnage, les effets de perspective et de raccourci sont très accentués. Il faut procéder à autant de retouches que nécessaire pour faire en sorte que le dessin du modèle paraisse tout à fait intégré au fond. Un détail d'importance est que la femme, de même que la table sur laquelle elle s'appuie, se présente de manière oblique ; la femme, de surcroît, est penchée vers l'arrière.

 2

La scène est traitée en utilisant une gamme de couleurs et de tons similaires. Le sol est d'un marron rougeâtre, tandis que le vêtement est d'un rose plus froid. Pour bien différencier les tons cependant, réservez pour la peau du modèle une nuance moins rosée et plus claire.

 3

Le mur du fond est d'abord traité dans un marron foncé ; cette couleur sera très diluée car une teinte trop saturée ferait ressortir le mur en avant et compromettrait l'effet de profondeur. Il faut que ni la couleur ni le motif du mur du fond ne prennent trop de relief, étant donné qu'ils forment l'arrière-plan.

Précisez peu à peu les détails. Comme le modèle porte un vêtement
d'une couleur uniforme, il est nécessaire de bien dégager les volumes,
l'ombre et la lumière qui marquent les plis. C'est en outre de la
précision de ces détails que dépendra la lisibilité du raccourci
anatomique que représente la jambe gauche du modèle.

Renforcez encore les clairs-obscurs et le modelé des plis de la robe.
Le visage prend forme de façon globale ; marquez les taches les plus
importantes, celles des yeux, de la bouche et des pommettes ; les
détails y seront ajoutés plus tard. Peignez aussi les autres éléments
de la composition, comme la chaise et les pieds de la table.

 6

 7

Le peintre a cru bon d'accentuer l'intensité des couleurs de son tableau : la teinte rougeâtre du sol, le marron du fond et le jaune du dossier de la chaise ont été renforcés. Remarquez que les ombres projetées sur le sol par le modèle et par la table contribuent à situer clairement le personnage dans la scène ; sans elles, l'image perdrait beaucoup de sa cohérence et de sa vraisemblance spatiales.

Dans cette ultime étape, achevez de préciser les formes et les traits du modèle. Dans cette composition, le point auquel l'artiste s'attache le plus n'est pas le point le plus rapproché de l'observateur (ce serait en ce cas le pied), mais le visage de la femme qui est le centre focalisateur de la scène. Il n'en reste pas moins que le raccourci du personnage et les lignes de fuite du sol accentuent fortement la sensation de profondeur.

16. Composition à plusieurs personnages

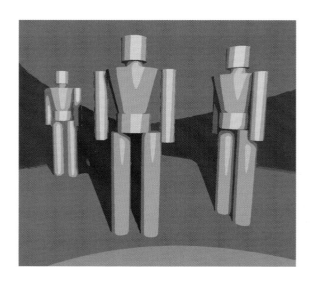

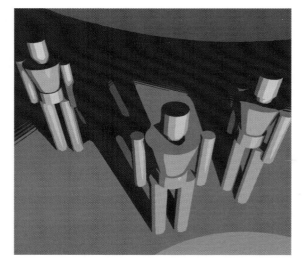

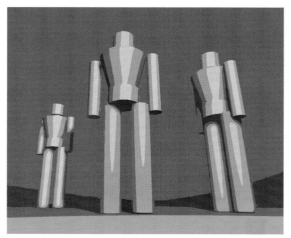

 Fig. 1 à 3

Quand il s'agit de situer un ensemble de figures humaines, il convient de tenir compte, à la fois de la position et de la distance des personnages entre eux, et du point de vue à partir duquel on les observe. En effet, la hauteur à laquelle on se trouve pour observer la scène modifie la répartition des personnages dans l'espace. Il convient aussi que chacun d'eux obéisse aux mêmes critères en matière de perspective, pour qu'ils paraissent tous se situer dans le même espace.

Au moment d'exécuter une composition en perspective avec plusieurs personnages, il faut préciser quelques facteurs qu'il est bon de contrôler pour que les personnages forment un ensemble cohérent.

Le premier facteur dont il faut tenir compte est la taille des personnages, en fonction de la place qu'ils occupent dans l'espace. En bien des occasions, c'est précisément la taille décroissante des personnages qui suggère la sensation d'espace. Quand, dans une composition, une silhouette paraît plus petite qu'une autre, l'œil interprète intuitivement le phénomène comme le signe que la figure la plus petite est la plus éloignée de l'observateur. Si les précédents chapitres ont été bien compris, le lecteur a dû acquérir une certaine

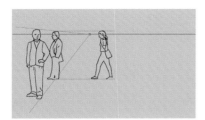 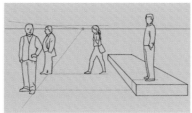 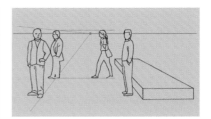

Ces lignes de fuite indiquent la décroissance des tailles à mesure qu'elles se rapprochent de l'horizon. Si on place un nouveau personnage de même taille que le précédent sur un point quelconque de la ligne inférieure, sa hauteur sera déterminée par la ligne supérieure.

Pour placer un personnage en un lieu plus élevé, on doit calculer sa taille par rapport au sol, afin de respecter la même échelle de proportions que dans le reste du dessin.

Ce dessin indique comment reporter la taille ainsi définie sur un socle plus élevé que le sol. Dans le cas présent, la hauteur prêtée au personnage ne correspond pas à sa position en profondeur.

capacité à visualiser un espace en profondeur, qui l'aidera également à localiser les personnages de façon intuitive.

Quoi qu'il en soit, nous allons vous présenter une méthode assez simple pour bien situer des personnages en perspective avec exactitude.

On place en premier lieu la ligne d'horizon et, sur elle, le point de fuite.

On place la première figure dans un point donné de l'espace, en lui attribuant la hauteur convenable. On trace les lignes qui relient les points supérieurs et inférieurs du personnage au point de fuite. L'angle formé par ces lignes marque le degré de décroissance de la taille des personnages à mesure qu'ils s'éloignent. Ces lignes convergentes serviront de référence pour tous les protagonistes ; la ligne inférieure marque la position des pieds en fonction de l'éloignement, et la

ligne supérieure la hauteur des têtes. Si on place un personnage en alignant ses pieds sur la ligne inférieure, on sait que sa taille devra s'aligner sur la ligne supérieure. Tout ceci suppose que les personnages sont de taille égale, mais on sait qu'en réalité l'être humain présente une grande variété de tailles, selon l'âge et la typologie. Cela ne constitue pas une difficulté, puisqu'il suffira de modifier les tailles en proportion convenable. Il n'est pas non plus nécessaire d'insérer tous les personnages entre ces deux lignes de fuite ; elles servent de référence pour déterminer les tailles, mais on peut à loisir déplacer les personnages horizontalement.

La méthode ainsi décrite ne concerne que les personnages en appui sur le sol. Si l'on veut les situer dans quelque lieu surélevé, comme un piédestal par exemple, il conviendra de calculer la hauteur du personnage à partir du sol, et de porter ensuite cette mesure au-dessus du piédestal.

Personnages en perspective

Le problème, dans une composition qui présente une série de personnages en perspective, est que l'on doit contrôler, d'une part, le dessin du corps humain, et, d'autre part, les lois de la représentation de l'espace en profondeur. Pour ce qui est de ce second point, le lecteur de cet ouvrage devrait pouvoir l'affronter avec succès. Il suffira de s'assurer que la taille des personnages diminue en fonction de la distance, de façon régulière et dans la même proportion que les autres éléments de la scène. Il convient donc de dessiner en premier lieu la perspective de l'espace dans lequel vont être situés les personnages, comme on l'a appris précédemment, et de respecter ensuite cette même perspective pour y situer les personnages selon leur taille respective.

La technique choisie dans cet exercice est celle de l'aquarelle, employée de manière à la fois expressive et précise.

 1

Dessinez la perspective de la rue de façon très générale, en laissant l'espace nécessaire pour dessiner les personnages. Puis commencez par mettre en place les personnages les plus proches de l'observateur. Les deux femmes de droite occupent le premier plan, et leur taille servira de référence pour les autres personnages. L'homme, au centre de l'image, a la tête approximativement à la même hauteur que les deux femmes (la hauteur du point de vue), mais sa base d'appui est située en un endroit passablement plus élevé dans la composition, c'est-à-dire plus éloigné en profondeur.

En respectant l'alignement des personnages précédents, dessinez les autres personnages, de plus en plus éloignés. Commencez à peindre le fond d'une couleur uniforme. Différenciez le sol par une teinte rougeâtre, et les arbres par du vert. Ces premières couleurs doivent être très douces ; elles ne serviront que de référence dans la peinture des personnages. Les feuilles des arbres sont traitées en touches libres et spontanées, avec une couleur très mouillée. Il faut veiller à ne pas surcharger les zones qui doivent demeurer claires dans le résultat final.

Renforcez les tonalités du premier plan pour que les éléments de l'arrière-plan paraissent, par opposition, comme dilués. Comme on peut le voir, les tons sont beaucoup plus saturés dans les zones les plus proches du spectateur : les rouges du sol, la chevelure et le sac à main de la jeune fille, le bleu de la jupe et le jaune du chemisier de sa compagne ; il s'agit d'accentuer le contraste chromatique. Le contraste des lumières et des ombres est également accentué avec des éléments très sombres, comme le manteau de la jeune fille, ce qui fait vigoureusement ressortir le personnage.

17. Perspective et peinture

 Fig. 1

La valorisation des ombres et des lumières peut intervenir aussi bien dans les dessins en noir et blanc, en faisant jouer les nuances de gris comme dans l'exemple précédent, que dans les travaux en couleur. Cette illustration présente trois plans différenciés : la terrasse en premier plan, une série de maisons plus éloignées et une montagne à l'arrière-plan. Le premier plan est maintenu dans une ombre très accusée, le second plan bénéficie d'un éclairage intense et direct, et l'arrière-plan baigne dans une lumière moins contrastée, plus diffuse.

Comme nous l'avons noté, la représentation des trois dimensions sur une surface plane trouve sa ressource essentielle dans le dessin en perspective, mais l'œuvre d'art exige que l'on tienne compte d'autres concepts encore comme ceux de contraste, de modelé ou de valeur chromatique. Ce sont ces concepts qui, habilement utilisés, permettent d'exprimer la profondeur avec encore plus de vraisemblance et une plus grande expressivité.

Profondeur exprimée
par l'emploi de la lumière

La lumière est l'un des éléments les plus décisifs dans la création des effets de profondeur. En effet, c'est grâce à la lumière que l'on perçoit et aussi que l'on exprime le volume des choses. La lumière qui baigne l'objet que l'on observe conditionne puissamment la façon dont on le voit.

En général, un éclairage direct a tendance à exagérer les détails, dans la mesure où les ombres qu'il projette se voient avec plus de clarté et mettent en relief les accidents de la surface de l'objet. Cependant, si la lumière est trop directe et les clairs-obscurs trop marqués, les ombres peuvent cacher une grande partie de l'objet. Ce type d'éclairage confère beaucoup d'expressivité à l'image, mais atténue la clarté de la description. À l'inverse, une lumière diffuse, comme celle d'un jour de pluie, permet de voir les choses avec une grande clarté, mais un extrême adoucissement des ombres fait perdre leur volume aux objets, et leur confère de la monotonie. Il faut employer une lumière de tel ou tel type en fonction du genre d'images que l'on cherche à réaliser et des impressions que l'on veut suggérer à travers cette image.

Comme on l'a vu, un éclairage direct peut faire ressortir une image ; c'est pourquoi il existe un recours efficace qui consiste à affecter au premier plan un jeu de forts contrastes lumineux, tandis

 Fig.2

Nous avons ici un autre exemple de la manière dont l'éclairage peut permettre de distinguer clairement les plans d'une composition. Dans le cas présent, on a renforcé l'intensité de l'ombre au premier plan, pour bien la séparer visuellement du fond.

que l'arrière-plan est laissé dans une lumière diffuse, estompant les contours.

Un autre moyen qui contribue, lui aussi, à distinguer clairement les différents plans d'une image consiste à attribuer à chacun de ces plans des intensités lumineuses différentes, en faisant alterner ombre et lumière. Par exemple, dans un paysage, on peut laisser le centre de la composition (sa partie centrale définie en terme de profondeur) dans l'ombre, affecter une lumière intense au premier plan et une lumière plus diffuse à l'arrière-plan. Il va de soi qu'il n'y a pas de norme absolue en cette matière qui autorise de nombreuses variations, mais il y a une série de principes dont on doit tenir compte et qui élargissent amplement le champ des ressources en ce domaine.

pas à pas

Rivage

Le thème de la marine peut être abordé de divers points de vue ; l'un d'eux mettra entièrement l'accent sur la mer et sur le ciel comme protagonistes presque exclusifs du paysage ; un autre s'attachera essentiellement aux rochers ou à quelques écueils qui commanderont toute la composition. Dans l'exemple proposé ci-après, nous allons considérer une intéressante marine avec des rochers, dans laquelle la profondeur se manifeste à travers les différences de contrastes lumineux d'une zone à l'autre.

On a déjà amplement souligné comment les variations de lumière permettent d'exprimer l'éloignement ou la proximité des objets. Le travail de la couleur commence par la zone du fond (ciel et montagne) qui reçoit une teinte jaunâtre, sur laquelle vous peindrez les montagnes dans un ton bleuté.

Après la montagne du fond, considérez le plan de terrain suivant qui, plus proche de l'observateur, se révèle aussi plus contrasté. Comme vous pouvez le constater sur cette image, le premier lavis de jaune appliqué fait que les hautes montagnes peintes préalablement dans une teinte très transparente paraissent enveloppées dans une atmosphère brumeuse. Par contre, les reliefs plus bas et plus proches sont beaucoup plus sombres et plus nets.

Une fois l'ombre entre les rochers bien sèche, la peinture de ces derniers ne présente guère de difficulté : comme il s'agit de roches très foncées, il est légitime d'en unifier les formes. Utilisez les mêmes tons pour les reflets sombres de cette zone, sous forme de taches qui tranchent sur la couleur de fond.

La couleur des roches du premier plan doit être assez contrastée pour trancher visuellement avec les tons des autres plans.

Une observation attentive du paysage montre que plus le plan rocheux est proche, plus il est contrasté et moins il est lumineux. La couleur utilisée à cet endroit est un mélange de brun Van Dyck et de bleu foncé.

Les montagnes de droite sont peintes dans une couleur verdâtre assez brouillée, mélangée avec du violet. Prenez soin de ménager une réserve pour la partie lumineuse qui correspond à la maisonnette blanche. La différence entre la surface de l'eau du premier plan et celle du plan plus éloigné est évidente ; appliquez sur ce second plan un lavis de couleur bleue. La ligne d'horizon est reprise au pinceau jusqu'à ce que le profil soit parfaitement net.

Appliquez quelques touches de violet foncé sur les collines de l'arrière-plan. L'eau du premier plan est constellée de petites touches de bleu cobalt très transparentes. Certaines zones demeurent très lumineuses depuis le début de l'exécution de la marine. Commencez à peindre le massif rocheux du premier plan.

Retouchez l'eau du premier plan avec du bleu de cobalt pour accentuer les contrastes ; les reflets, cette fois, paraissent beaucoup plus lumineux et brillants, et soulignent l'effet de perspective. Un dernier apport d'ombre brûlée très foncée sur les roches du premier plan donnera la touche finale à cette marine.

18. Profondeur exprimée par la couleur

 Fig. 1

Dans le lointain, les couleurs deviennent de plus en plus froides (elles tendent vers le bleu), de plus en plus grises et claires. C'est dans les paysages montagneux que ce fait apparaît avec le plus d'évidence : les montagnes les plus lointaines finissent par se confondre avec le blanc du ciel.

Il y a trois couleurs de base : le jaune, le magenta et le bleu cyan. De la combinaison de ces trois couleurs naissent toutes les autres. Si nous mélangeons ces couleurs deux à deux, nous obtenons les couleurs secondaires. Le vert est produit par le mélange du jaune et du cyan, le rouge orangé par le mélange du jaune et du magenta, et le violet par le mélange du cyan et du magenta. Les couleurs complémentaires sont celles qui n'ont aucune couleur commune dans leur composition ; ce sont, en conséquence, celles qui présentent entre elles le plus grand contraste. Par exemple, le jaune et le violet sont des couleurs complé-

mentaires (comme il vient d'être dit, le violet comporte du cyan et du magenta, mais pas de jaune). Si on poursuit cette démarche qui consiste à mélanger deux couleurs primaires et à les opposer à la troisième, on obtient que le cyan et le rouge orangé (mélange de magenta et de jaune) sont complémentaires, de même que le magenta et le vert (mélange de bleu et de jaune).

Si on applique ces principes aux effets de profondeur, on peut en déduire que l'usage de couleurs très contrastées entre elles (comme les couleurs complémentaires) doit être réservé aux premiers plans, tandis qu'on emploiera pour les

 Fig.2

Les couleurs très soutenues du premier plan contribuent à renforcer l'effet de profondeur. Les couples de couleurs complémentaires, comme le jaune et le violet, créent un contraste puissant et rendent plus proche la zone où ils se trouvent. Si on avait utilisé des couleurs aussi saturées pour rendre les arbres du fond, la scène aurait sensiblement perdu de son efficacité en perspective.

zones éloignées des combinaisons de couleurs de registres plus accordés.

De plus, il y a des couleurs qui par leur effet visuel sont considérées comme chaudes, tels le rouge et le jaune, et d'autres comme froides, tels le bleu et le violet. Les couleurs chaudes donnent une impression de proximité, tandis que les couleurs froides donnent une sensation d'éloignement. Les premiers plans présentent des couleurs plus vives, plus chaudes et plus contrastées, et les arrière-plans des couleurs plus froides, plus grisées et moins contrastées.

Si nous considérons un paysage avec des montagnes dans le lointain, nous remarquons que plus ces montagnes sont éloignées, plus leur couleur devient claire et bleutée, en même temps que s'atténue leur contraste avec la couleur du ciel. Nous avons là l'un des exemples les plus parlants de ce qui fait l'objet de ce chapitre.

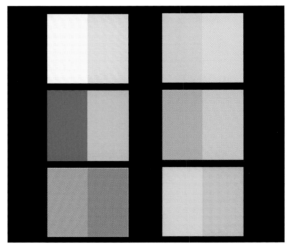

 Fig.3

Si nous juxtaposons des couleurs de même gamme chromatique, comme celles de cette illustration, nous remarquons que les objets ainsi traités perdent de leur contraste et paraissent plus éloignés vers le fond de la scène.

pas à pas

Paysage

Pour représenter la profondeur d'un paysage, il n'est pas toujours nécessaire de recourir explicitement à la perspective linéaire. Il arrive souvent, quand on peint un paysage naturel où les accidents de terrain sont épars et multiples, qu'il y ait peu d'éléments propices au tracé d'une perspective linéaire assez significative pour suggérer l'éloignement.

C'est alors qu'interviennent les ressources de ce que, dans cet ouvrage, nous avons appelé la perspective aérienne. Dans cet exercice, exécuté au pastel, nous verrons comment, outre la saturation et le contraste des couleurs, le tracé a aussi sa fonction dans la représentation de la profondeur.

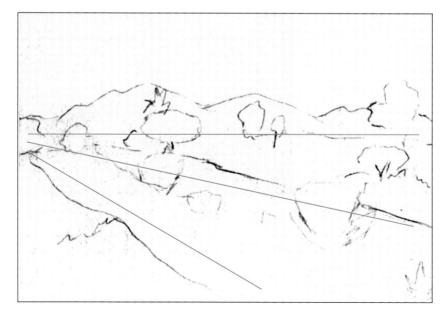

Le croquis initial n'exige pas une grande précision, puisque tous les éléments du paysage ont des formes irrégulières qui offrent une grande marge de variations possibles, sans que la vraisemblance en soit affectée. Contentez-vous d'une mise en place des formes principales, en laissant au travail de la couleur le soin des petits détails. Le chemin qui parcourt la scène vers l'arrière-plan aide grandement à exprimer la profondeur dans ce travail.

La couleur de fond initiale sera très douce. Le pastel est appliqué sans pression excessive, pour ne pas laisser de marques, et sera estompé ensuite du bout du doigt ou avec une pointe de coton. C'est sur cette base que prendront place les détails ultérieurs. Dans cette première étape, n'utilisez que des couleurs chaudes, comme le jaune, le rouge et une terre. Il convient de rappeler qu'il sera toujours plus facile de « refroidir » après coup une teinte chaude que de procéder à l'opération inverse.

Continuez de colorier le ciel selon les principes indiqués plus haut. Il faut éviter de souligner le contraste entre le ciel et les montagnes du fond ; en effet, comme il a été expliqué précédemment, les contrastes puissants tendent à rapprocher du premier plan la zone dans laquelle ils se déploient, et c'est l'effet inverse qui est recherché ici. Mettez aussi progressivement en place divers détails du terrain, comme les collines et les arbustes, sans s'éloigner pour autant d'une vision globale.

Quant aux multiples plantes et cactus disséminés sur le terrain, il faut les traiter de façon différente selon le lieu où ils se trouvent. Les plus éloignés sont à peine esquissés, et plus ils sont proches du premier plan, plus ils sont dessinés avec précision. Comme on peut le voir, l'arbuste de gauche est peint dans un vert mélangé de jaune, dans une tonalité intense ; le volume est de surcroît souligné par quelques traits noirs vigoureusement marqués.

Dans l'exécution du premier plan, renforcez les couleurs chaudes de la partie inférieure du tableau. Le jaune du sol est plus saturé à cet endroit, et vous pouvez encore ajouter quelques traits rougeâtres sur l'arbuste de gauche. Enfin, les traits blancs qui découpent le cactus de droite produisent un fort contraste avec les ombres que projettent ses feuilles.

Une fois que le premier plan bien établi peut servir de référence, appliquez-vous à définir avec plus de précision les montagnes du fond : elles doivent être d'intensité et de contraste réduits.

L'un des avantages du pastel est qu'il autorise une grande variété de traitements, exploités ici pour exprimer la perspective. Cependant, comme nous l'avons dit, le tracé reste aussi un moyen efficace de traduire la profondeur. Tandis que le ciel et les montagnes du fond sont délicatement estompés avec un coton, tous les éléments du premier plan se caractérisent par un tracé très vigoureux : dessins de pierres, de feuilles et d'épis.

Exercices pas à pas

Paysage champêtre avec reflets

En raison de la variété de formes et de couleurs qu'il peut présenter, le paysage est l'un des sujets les plus intéressants qui soit pour mettre en pratique les connaissances acquises dans cet ouvrage.

Dans ce nouvel exemple de paysage, on pourra observer les différences existant entre les plans divers que l'on peut distinguer dans toute composition.

L'orientation des coups de pinceau vous aidera à établir la différence entre les arbres du fond et leurs reflets dans l'eau.

Le dessin est indispensable à tout artiste. Il sera parfois précis et détaillé, et ne sera d'autres fois, comme dans le cas présent, qu'un schéma de base pour la composition. Sur l'esquisse des formes principales du paysage, passez un lavis irrégulier de terre de Sienne dans la zone de la rivière et des nuages.

 2

Pour l'exécution des reflets, étendez la tache de bleu intense des arbres de gauche sur la superficie contiguë de la rivière. Mais pour imiter l'effet des corps reflétés sur l'eau, les coups de pinceau sont cette fois orientés horizontalement et sous forme de hachures.

 3

Achevez de peindre la rive droite, ainsi que ses reflets dans l'eau, avec un mélange de vert et de bleu. Pour la partie basse du tableau, employez un dégradé très léger de bleu grisâtre, qui a pour effet de rapprocher du spectateur cette partie de la scène.

Le premier plan est peint dans des tons bleutés, verts et ocres très saturés ; cela permet de différencier les plans de façon concrète.

Une fois les grandes masses de couleurs ainsi établies, commencez à peindre les arbres de la rive. Les formes des branches d'arbres devront se détacher clairement sur la surface de l'eau pour que les deux plans soient nettement séparés.

 6

 7

Portez une attention particulière au dessin des arbres secs, qui ont dans ce paysage un caractère très graphique ; on dessine d'abord les troncs puis, en touches beaucoup plus fines, le détail des branches.

Le lavis de bleu peu saturé, dont sont colorées les montagnes situées dans le lointain du paysage, se confond avec le ciel dans sa partie supérieure. Les tons marrons, au-dessous des arbres, sont les moins froids de toute la composition, et leur situation au premier plan renforce l'effet de perspective.

Maison et chemin

Dans un exercice de perspective fondé sur le paysage, l'un des facteurs de réussite tient à l'harmonie de l'ensemble, c'est-à-dire à une tonalité de base ou à une dominante qui assure l'unité de la composition.

Dans cet exemple concret, le paysage au fusain est dessiné ; il faut procéder ensuite à des effacements avec la gomme pour ménager lumière et brillance en certaines zones.

Observons que le point de vue est élevé, et que la ligne d'horizon occupe, par conséquent, une position basse dans le tableau ; grâce à cela, nous disposons d'un ample espace pour faire valoir les lumières dans la zone du ciel.

 1

En premier lieu, passez tout le papier au fusain, en veillant à ne pas laisser de poussière de fusain sur la surface du support. La surface entière doit être couverte, de façon à servir de base au travail des lumières et des ombres.
C'est sur cet espace étendu que vous pouvez procéder à la mise en place des éléments de la composition.

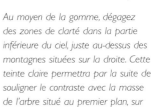

Au moyen de la gomme, dégagez des zones de clarté dans la partie inférieure du ciel, juste au-dessus des montagnes situées sur la droite. Cette teinte claire permettra par la suite de souligner le contraste avec la masse de l'arbre situé au premier plan, sur la gauche de l'image.

Continuez de dégager à la gomme des zones de lumière sur la cabane et sur le sol à sa droite, avec plus de subtilité que précédemment. Obscurcissez au fusain le feuillage de l'arbre, puis, en usant à nouveau de la gomme, créez des percées de lumière à l'imitation du soleil au travers du feuillage.

Comme on le voit, ces dégagements de blanc au moyen de la gomme acquièrent une valeur comparable à celle des traits au fusain. Les blancs ont d'ailleurs tendance à s'unifier ; il faut donc reprendre avec insistance les tracés au fusain pour nuancer les différents tons de gris.

Avec la pointe du fusain, mettez en place les ombres les plus soutenues sur la frondaison. Marquez aussi, sur le premier plan, des ombres très denses, de même orientation que les blancs dégagés précédemment à la gomme. Les tons les plus foncés de la partie basse séparent le premier plan des plans suivants, et soulignent vigoureusement l'effet de perspective qui produit l'illusion de profondeur.

Au moyen de la gomme à nouveau, créez sur le tronc des veines blanches qui suggèrent sa rugosité. Achevez, enfin, de définir le volume du tronc par quelques traits appuyés de fusain.

Précisez encore au fusain la forme et les détails de la cabane. Vous obtiendrez les plus vigoureux contrastes en juxtaposant les traits noirs, appuyés, et les zones lumineuses où la gomme a dégagé la blancheur du papier.
Le fait que les montagnes du fond ne présentent pas de profil tranché contribue à créer l'effet de profondeur atmosphérique.

Barques

Cette vue d'un canal de Venise présente une intéressante combinaison d'édifices en perspective en même temps que de reflets sur l'eau qui sont un motif assez commun de la marine. Le point de vue de l'observateur est élevé : il s'agit d'une perspective plongeante. La disposition des barques qui se succèdent, alternativement à droite et à gauche, le long du canal, suggère la profondeur et dote l'image d'une réelle dynamique visuelle. Dans les exercices qui suivent, nous verrons comment l'usage de la couleur peut permettre de rehausser le premier plan et de renforcer l'effet de perspective. Comme on peut le voir dans cette composition, la ligne d'horizon n'apparaît pas, totalement cachée par les maisons ; cela ne présente aucun inconvénient puisqu'il suffit de se guider par rapport au point de fuite.

Commencez par une mise en place au crayon des maisons et des barques. Comme on le voit, toutes ces lignes fuient vers le même point, à l'exception des maisons du fond qui ont une autre orientation, et, par conséquent, d'autres points de fuite. Hormis cette exception, l'ensemble des maisons doit être dessiné en fonction d'un seul point de fuite, même s'il est approximatif.

Commencez à peindre en appliquant, avec une gouache très diluée, une couche légère de marron rougeâtre. Cette couche n'a d'autre ambition que de servir de guide pour les couleurs que vous ajouterez par la suite ; elle préservera leur unité chromatique tout en valorisant chacune d'entre elles.

L'eau sera peinte dans un ton bleu légèrement foncé. Si ce bleu était trop pur (c'est-à-dire très saturé), le contraste avec le ton rouge des murs serait exagéré, et le tableau perdrait de sa vraisemblance à cause d'une excessive intensité de coloris. La zone centrale du canal est laissée en blanc pour indiquer le reflet de la lumière sur la surface de l'eau. Ce dégradé vers la partie centrale est réalisé à petits coups de pinceau, horizontaux et vifs, pour imiter l'effet des vagues sur l'eau.

Continuez en appliquant quelques premières touches de couleur à des éléments tels que les portes des maisons, les barreaux de la droite ou la mousse des murs. Avant de peindre de grandes surfaces, il peut être utile de placer les diverses nuances (comme le vert de la mousse), de façon à contrôler la manière dont elles réagissent avec et sur les autres couleurs de la composition.

Le ton des murs du premier plan est renforcé par l'application d'une gouache plus épaisse, pour que cette zone se « projette » en direction du spectateur. À l'inverse, les maisons les plus éloignées sont maintenues dans des teintes plus transparentes et des couleurs moins saturées. De la même façon, la barque du premier plan est traitée avec plus de détails que le reste.

Le contraste entre le ton rouge du mur, le bleu de l'eau et le vert appliqué sur le mur de gauche contribue à accroître la sensation de profondeur de la scène. Le creux des portes est peint dans une tonalité foncée, puisque le soleil éclaire de face (bien qu'il ne se voie pas), et que ces endroits demeurent dans l'ombre.

Le résultat final montre que l'effet de profondeur est suggéré par tous les facteurs évoqués précédemment. Notez que les parties inférieures des barques produisent les ombres les plus intenses sur la surface de l'eau. Par contre, pour la zone du canal et même les maisons qui sont à l'arrière-plan, on a laissé le blanc du papier intact par endroits ou bien, à d'autres, la peinture est diluée à l'extrême et les dernières touches sont aussi légères et spontanées que possible.

Bord d'une rivière

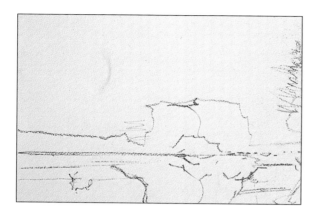

 1

Les bords de rivière fournissent d'excellentes occasions pour des études de reflets ou bien de lignes d'horizon.

Dans le cas présent, le reflet est produit par une étroite frange de végétation qui traverse le paysage de gauche à droite, et sur laquelle se détachent deux grandes masses de feuillage. Commencez par une simple mise en place des formes générales, au fusain. La ligne d'horizon est élevée. Dessinez aussi les reflets dans l'eau, de manière approximative, de façon à faciliter le travail ultérieur de la couleur.

 2

Commencez le travail de peinture par d'amples applications de lavis à l'aquarelle, très dilué, en couches horizontales successives qui se fondent en se superposant, de manière subtile.

Notez que la zone de luminosité maximale est celle du ciel, qui constitue le fond du paysage ; prenez soin de laisser à cet endroit une frange pratiquement vierge de couleur.

Peignez ensuite la zone de végétation centrale. Ce sera d'abord un vert pâle, nuancé ensuite d'un vert plus foncé. L'herbe proche de la rive, à droite, est d'une teinte plus chaude, qui sera rendue par un mélange d'ocre et d'orange, d'une intensité modeste.

 3

La rive elle-même sera peinte dans cette même teinte chaude. Son reflet dans l'eau sera dans le même ton, mais la nuance en sera légèrement plus foncée, avec une touche de vert assez délicate pour éviter tout virage de la couleur.

Peignez ensuite le reflet des arbres dans l'eau ; procédez par petits traits horizontaux qui reproduiront l'image inversée de la forme des arbres. La couleur sera d'abord un vert de vessie mélangé avec un vert foncé et du bleu ; à mesure que le reflet s'étire vers le bas, employez des tons de moins en moins foncés.

La partie la plus lumineuse du reflet est traitée en vert de vessie.

 4

Donnez de la profondeur à l'ensemble des reflets au moyen d'un lavis vert foncé, sur lequel vous ajouterez quelques traits de la même couleur, mais beaucoup plus dense. Renforcez quelques taches foncées dans les feuillages, en mélangeant pour cela un bleu foncé avec du vert. Ajoutez quelques notes de bleu foncé dans la zone des ombres, sans mélange cette fois. Peignez enfin les premières branches sur la droite.

 5

Le travail se concentre sur la partie de droite ; en premier lieu, la bande jaune reçoit un mélange d'ocre et d'une légère quantité de bleu, en traits vifs et spontanés, dans le but de refroidir la couleur. Dans le coin supérieur gauche, les feuilles sont peintes dans un ton très foncé sur du vert clair. Le travail porte ensuite sur l'enchevêtrement des branches et des feuilles dans la partie gauche du tableau. Dessinez d'abord au pinceau les branches principales, puis les petites ramifications qui se transforment en petites taches représentant les feuilles ; la base de ce massif végétal est peinte en bleu foncé. Les reflets de cette zone sont traités comme les taches brillantes au milieu du paysage, mais avec un sensible changement du ton de vert choisi

 6

À proximité de la rive, utilisez une couleur beaucoup plus foncée que dans la partie moyenne ; les coups de pinceau qui donnent forme à cette zone de brillance sont courts et horizontaux. Ébauchez aussi quelques taches de couleur chaude qui serviront de base à la continuelle formation des reflets dans l'eau ; laissez respirer certaines zones du fond. Quelques notes de bleu lumineux viennent enrichir le paysage sur la droite. Apportez la dernière touche à la végétation et aux reflets de la partie de gauche ; les branches et feuillages de la partie supérieure se détachent sur le jaune par leur couleur foncée et la minutie des détails. Ces ultimes finitions confèrent leur équilibre définitif aux différentes masses de lumière du tableau.

pas à pas

Nature morte

Une petite nature morte exige que soit respectée la cohérence des lignes dans l'espace, et particulièrement dans le cas d'éléments orthogonaux tels que boîtes, livres ou meubles ; les formes circulaires, elles aussi, doivent être correctement situées dans l'espace.

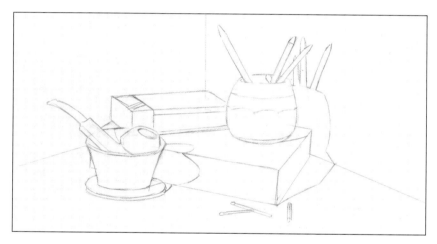

Comme il s'agit ici d'un recoin, il faut tracer les lignes que forment le sol et les murs en respectant les angles corrects ; il faut s'assurer qu'elles sont construites avec justesse parce qu'elles constituent les trois axes qui articulent le reste de la composition. Mettez en place dans le même esprit le parallélépipède du livre sur lequel reposent les autres objets, et qui n'est pas situé parallèlement aux murs. Les autres éléments prennent place selon le même schéma.

Commencez à peindre avec beaucoup de légèreté, en respectant l'orientation des objets ; c'est-à-dire que si un mur dessine par exemple un angle déterminé avec le devant de la scène, les coups de pinceau seront appliqués selon le même angle et la même direction. La gamme des couleurs est assez limitée, à base de marrons, d'ocres et de quelques marques de bleu ; il faudra, par conséquent, travailler dans la nuance pour bien distinguer les objets entre eux.

Les ombres projetées mettent en valeur les volumes principaux. Les teintes sont obtenues par une superposition très douce de bleus et de marrons.

Précisez ensuite le détail des éléments situés au second plan. Sans tomber dans la minutie, il est possible de définir assez de petits détails pour donner déjà une impression de réalisme. Il convient de ne pas forcer les contrastes au niveau des éléments éloignés, car cela aurait pour effet de les projeter vers l'avant.

Pour achever le travail, attachez-vous aux détails du premier plan dont il faut vigoureusement accentuer les contrastes. Pour ce faire, donnez un maximum de force au ton rougeâtre de la pipe et essayez pareillement de saturer énergiquement le bleu qui se trouve derrière ; ce seront les deux couleurs les plus saturées de toute la composition. L'ocre de la table sera lui aussi souligné dans sa partie inférieure, comme les ombres puissantes de la pipe et de son support, en marron foncé.

Le résultat final donne une forte sensation de tridimensionnalité, bien que les objets soient situés dans un espace très réduit.

Salle de bains

Les scènes d'intérieur fournissent souvent d'intéressants sujets de compositions picturales.

La présente salle de bains offre un exemple de perspective très accentuée à cause des carrelages qui recouvrent le sol et les murs. La porte de la pièce, qui est ouverte, obéit pour cette raison à une orientation particulière dans la perspective générale.

De surcroît, la présence d'un nu féminin dynamise la scène. Notez que le corps est lui aussi soumis à la perspective, soulignée par la position des hanches et des jambes ; la jambe du second plan est de taille réduite par rapport à celle qui se trouve près du spectateur.

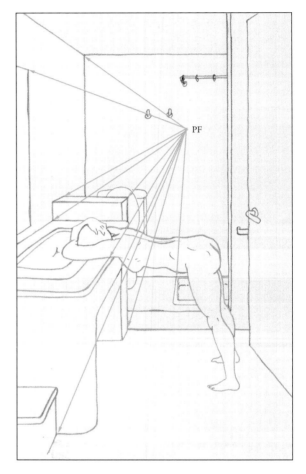

PF

 1

Comme l'indique l'image, commencez par un simple dessin au crayon dans lequel les premiers éléments s'organisent en fonction du point de fuite.
La porte entrouverte a son orientation propre.

 2

 3

Procédez ensuite à la mise en place des carrelages, qui suivent, eux aussi, les lignes de fuite de la pièce. Les carreaux du fond ne respectent aucune perspective, puisqu'ils occupent une position frontale par rapport à l'observateur.

La carpette au sol échappe aussi à l'orientation globale dans la mesure où elle a pivoté. Placez enfin les autres éléments.

Le travail de la couleur commence par les murs et le sol. Utilisez pour les murs un ton de bleu gris très dilué, et pour le sol, par contre, un bleu foncé très intense. L'emploi de ces deux couleurs aiguise la sensation de profondeur.

 4

 5

Continuez à peindre sans abandonner la gamme des couleurs froides. Employez une couleur d'un vert intense pour la porte, et la même couleur, mais diluée, pour le mobilier.
Le panier du premier plan est peint dans un ton ocre foncé, pour rompre l'homogénéité chromatique, et aider à une bonne différenciation des plans.

Les autres éléments peuvent désormais être peints. On notera la tache sombre au-dessous du lavabo, qui accentue l'impression de profondeur. Le miroir est de même couleur que le lavabo, mais en plus clair, comme il convient en vertu de l'effet optique propre aux surfaces qui réfléchissent les objets.

Portez maintenant votre attention sur le modèle nu. Il ne s'agit pas ici de capter les couleurs dans un esprit de réalisme, mais de se mettre au service de la perspective, en utilisant des couleurs de la même gamme chromatique, pour aboutir au résultat que l'illustration indique. On a choisi, dans le cas présent, une gamme de couleurs froides, dans les bleus, les verts et les violets.

Mettez la dernière main au modelé du personnage en soulignant les contours de la silhouette d'un trait de même couleur que la peau, mais plus foncé, pour bien marquer les volumes du corps.
Enfin, en apportant une dernière touche au tracé des carrelages, renforcez l'effet de perspective de la composition, puisque chacun de ces tracés représente une ligne de fuite.

pas à pas

Paysage

Peindre n'est pas autre chose qu'interpréter ce que l'on voit. On multiplie ainsi dans la peinture des connotations qui n'existent pas dans la réalité, ou bien qui y sont très atténuées. Nous allons considérer dans le cas présent un paysage à la tombée du jour.

Le protagoniste principal sera ici le ciel et il est par conséquent logique de placer la ligne d'horizon très bas, pour réserver au ciel la zone la plus ample possible.

Commencez par un simple dessin au fusain, qui permet de situer la ligne d'horizon, les arbres du fond et le grand nuage dans le ciel.

 1

Appliquez une couleur rose pâle sur le ciel, qui entretiendra un fort contraste avec le ton violet des zones sombres des nuages. En jouant de cette harmonie, les volumes prendront forme d'eux-mêmes.

 2

 3

L'emploi d'un blanc grisâtre pour la masse principale du gros nuage permet d'équilibrer le puissant contraste mis en place auparavant. Après avoir achevé de peindre le ciel, peignez la campagne dans deux tons de vert.

Remarquez que les tracés et l'absence de toute fusion entre les couleurs permet de marquer parfaitement chacun des éléments et de donner une impression de fraîcheur à l'ensemble.

Enfin, les fleurs sur le terrain sont peintes sous forme de petits impacts rouges. Ces fines touches de couleur très chaude et saturée contribuent à renforcer l'effet de perspective.

On retiendra la manière dont on a réussi à mettre en valeur un sujet aussi banal qu'un ciel à la tombée du jour par le moyen de ressources très simples, comme d'abaisser la ligne d'horizon et de donner toute leur puissance aux couleurs propres à cette heure.

pas à pas

Ruisseau

L'artiste a choisi à nouveau un paysage de campagne. Nous observerons à quel point un simple paysage peut acquérir de force et de dynamisme par le seul moyen de la couleur.

La technique retenue ici est celle du crayon aquarelle.

Procédez d'abord à la mise en place des formes générales ; prenez garde de placer correctement sur le papier tout ce que vous souhaitez faire ressortir dans la composition.

Notez que le tracé en zigzag du ruisseau permet de communiquer un dynamisme immédiat à la composition.
Puis passez à une application ordonnée de la couleur. Un ton de bleu avec un soupçon de lilas établira la frange des montagnes du fond ; dans une gamme de verts, faites ressortir les arbustes du centre. Des tons d'ocre teinté d'orange marqueront les monticules de terre.

À grands traits libres sont introduites ensuite les zones de végétation qui bordent la rivière. Une tache compacte de vert peu saturé marquera la masse de végétation du fond, à droite.

Complétez à nouveau le dessin de la végétation à grands traits vifs ; c'est au fur et à mesure que l'on superpose ainsi les couleurs que l'on définit aussi progressivement les formes.

Appliquez enfin à la rivière un ton de bleu ; affinez la teinte des émergences du terrain avec du marron foncé. Cela permet de distinguer clairement les plans successifs de la composition.

Avec une couleur foncée, harmonisez les ombres des arbustes et de certaines parties du feuillage du premier plan, en veillant toujours à bien détacher chacun des éléments.

Achevez de bien définir les formes,
en prévision du moment où vous
commencerez de délayer à l'eau les
tracés de crayon. Il faut être attentif
à ce point, parce que le jeu des
contrastes est la base de ce travail.
De la même façon que dans
l'aquarelle au sens strict, les couleurs
lumineuses doivent l'être dès le
départ, à défaut de quoi l'ensemble
prendrait une apparence brouillonne.

À l'aide d'un pinceau humide,
procédez ensuite au délayage de
la couleur des crayons aquarelle.
La texture se transforme alors : on
avait au départ une rude texture
au crayon et on aboutit pour finir
à une très douce texture d'aquarelle.
Les couleurs appliquées sur le papier
ont fini par se fondre sur le support,
sans que soit pour autant porté
atteinte à la séparation des plans,
qui n'en est, au contraire, que mieux
établie.

Arbre sur un chemin

C'est à nouveau une vue de campagne qui nous fournit un autre exemple de paysage en perspective. Les chemins sont en général un bon appui pour une perspective parce qu'ils apportent des jalons clairement ordonnés là où l'irrégularité des formes de la nature complique la perception.

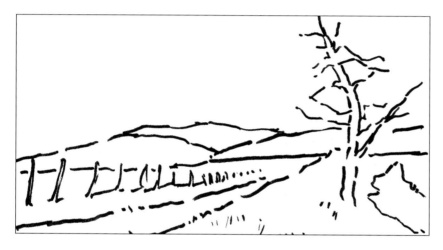

Les piquets sur le bord gauche du chemin diminuent à mesure qu'ils sont plus rapprochés du point de fuite.

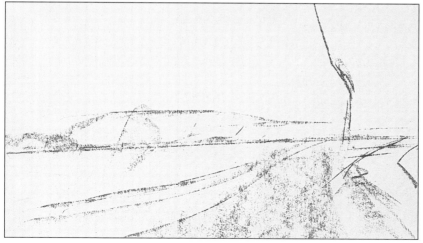

Le croquis initial consiste en quelques lignes qui permettent de situer simplement les différentes masses du sujet. La tache marron du sol est de couleur plus puissante au premier plan que dans la montagne du fond, afin de renforcer l'effet de perspective.

Procédez à la mise en place des lignes principales ; vous n'aurez besoin, pour mener ce travail à bien, que de trois couleurs ou tonalités : un marron rougeâtre obtenu avec une sanguine, un noir de fusain et un peu de craie blanche pour exprimer les brillants. Dans le dessin de départ, les lignes du chemin doivent converger vers un point de la ligne d'horizon, autrement dit le point de fuite de cette perspective frontale.

Marquez de noir la montagne du fond à droite, qui, de ce fait, paraît projetée vers l'avant ; cet effet sera corrigé lorsque seront peintes les formes du premier plan.

Commencez à peindre les formes du premier plan. Traitez les éléments les plus proches du spectateur en veillant à dégager les détails de façon de plus en plus précise. Les traits de fusain et de sanguine reproduiront la texture de l'herbe, au bas du tableau.

Mettez en place l'arbre à droite de la composition ; utilisez pour cela une couleur plus foncée que dans le reste du tableau pour faire ressortir cette zone par rapport aux autres, puisqu'il s'agit du centre d'intérêt principal de toute la scène.
Mettez aussi en place les piquets qui traversent l'image en profondeur, de gauche à droite.

 7

Bien que les piquets ne soient évidemment pas plantés dans le sol de manière absolument verticale (ils ne forment pas un alignement parfait), leur hauteur diminue à mesure qu'augmente leur éloignement et, si on synthétise les lignes qui se dégagent de leur mise en place, on obtient de réelles lignes de fuite.

 8

En guise de finition, renforcez les contrastes lumineux qui accentuent l'effet de perspective. Comme on le voit, le plus grand contraste de toute la composition naît de la juxtaposition du noir de l'arbre, à droite, et de la zone blanche qui s'étend à son pied. Les pointillés qui marquent les ornières du chemin renforcent aussi l'effet de perspective en se prolongeant comme des lignes de fuite. Et vérifiez une dernière fois qu'il y a une claire opposition entre le premier plan, au bas de la composition, qui est traité avec un luxe de détails, et l'arrière-plan lointain qui se dilue dans le flou de l'estompe.